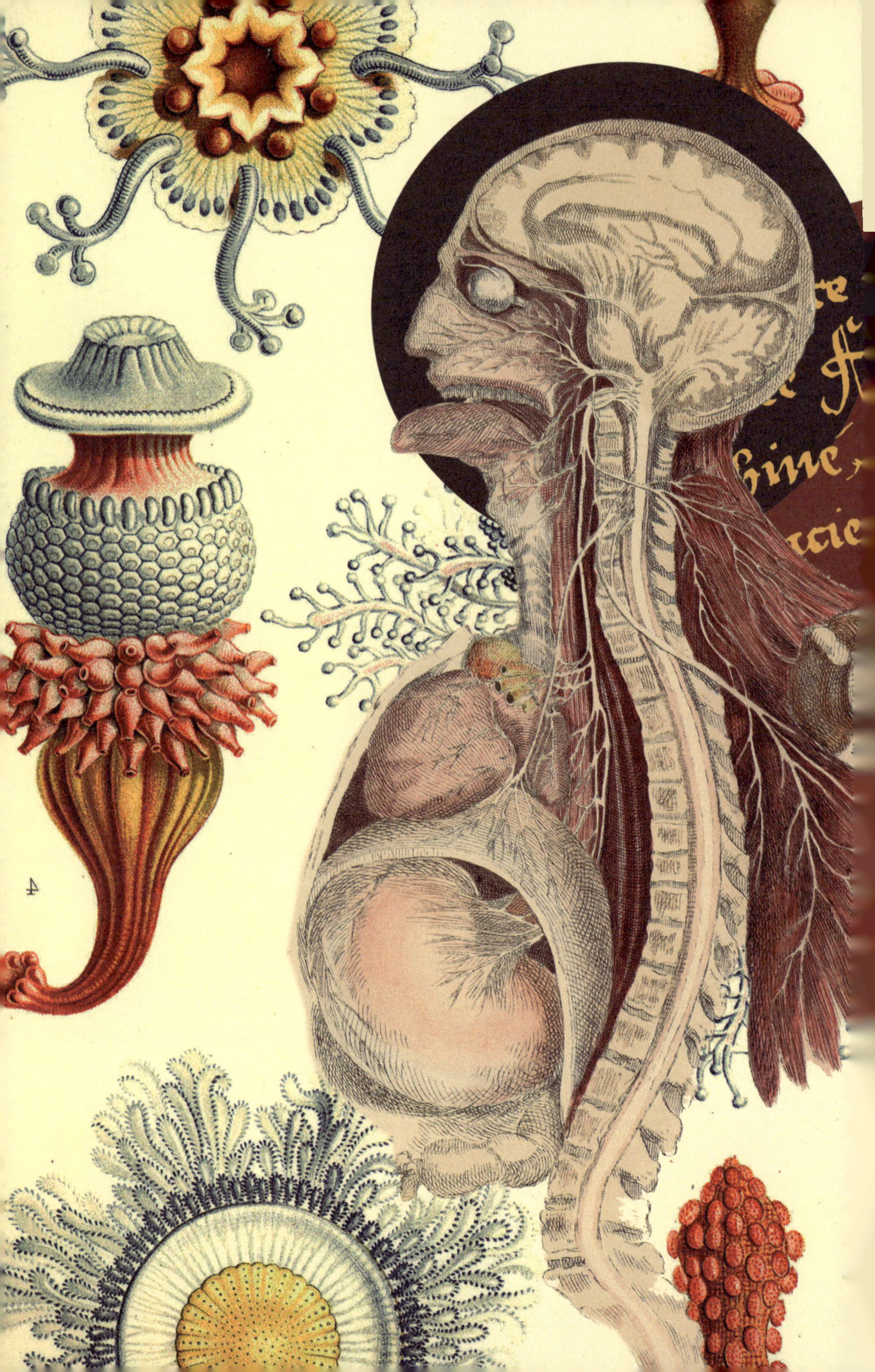

Do INCRÍVEL ao BIZARRO

Do INCRÍVEL ao BIZARRO

WISH

2ª edição | 2021

Artes extras: *O livro modelo da Caligrafia*, página 28

Curadoria, capa e projeto gráfico
Marina Avila
Textos
Valquíria Vlad e Marina Avila
Revisão
Karine Ribeiro
Imagens e Pesquisa
Os créditos de todas as imagens se encontram na página 286 e 287

2ª edição | 2021 | Geográfica

Dados Internacionais de Catalogação na Publicação (CIP)
(Câmara Brasileira do Livro, SP, Brasil)
Catalogação na fonte: Bibliotecária responsável : Ana Lúcia Merege - CRB-7 4667

A 958

Avila, Marina

Do Incrível ao bizarro: enciclopédia de livros antigos / Marina Avila, Valquíria Vlad. - São Caetano do Sul, SP: Wish, 2019.

288 p. : il.

ISBN 978-85-67566-21-4 (Capa dura)

1. Livros e manuscritos notáveis I. Vlad, Valquíria II. Título

CDD 090

Índice para catálogo sistemático:

1. Livros e manuscritos notáveis 090

Editora Wish
www.editorawish.com.br
São Caetano do Sul - SP - Brasil

Este livro é uma homenagem à História, à escrita e aos artistas do passado. Que possa se tornar uma inspiração para os artistas, estudiosos e criativos da atualidade.

Sumário

LISTA DE OBRAS, DATAS E PAGINAÇÕES

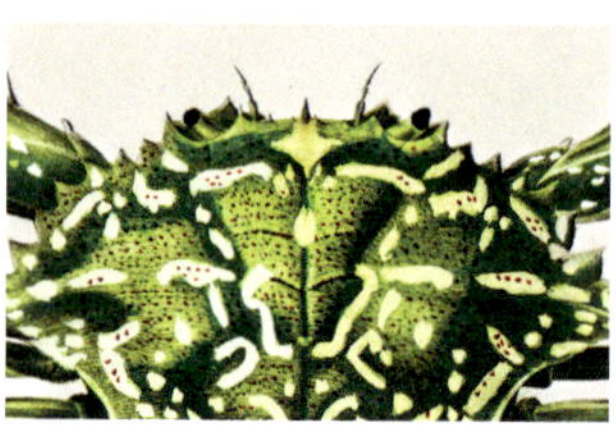

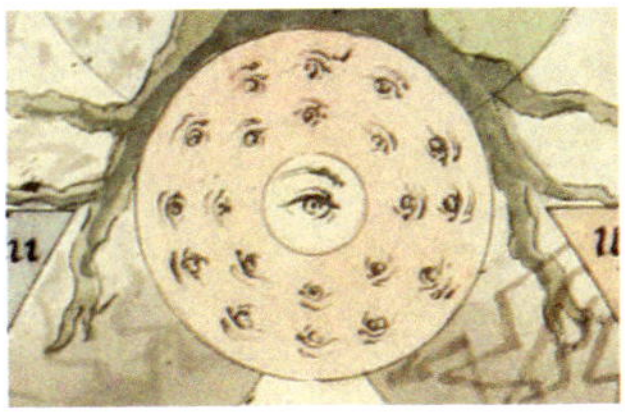

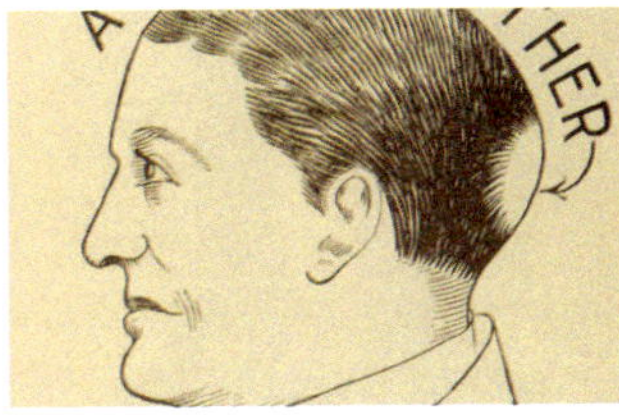

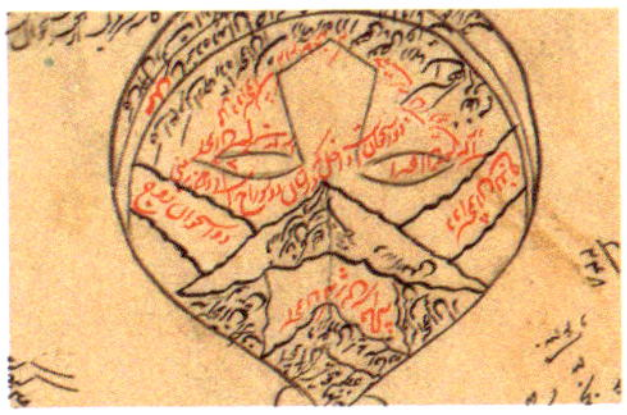

Macedoine of Fruits with Jelly

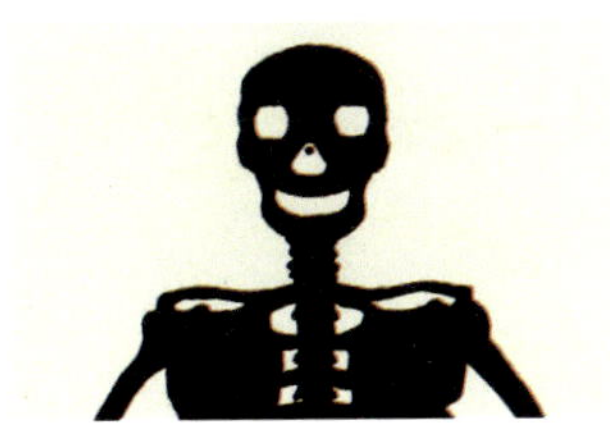

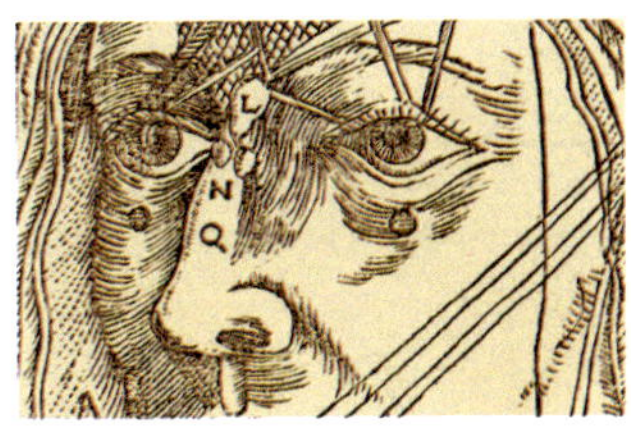

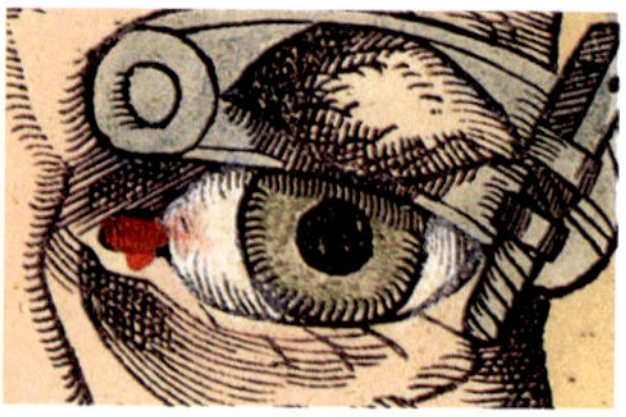

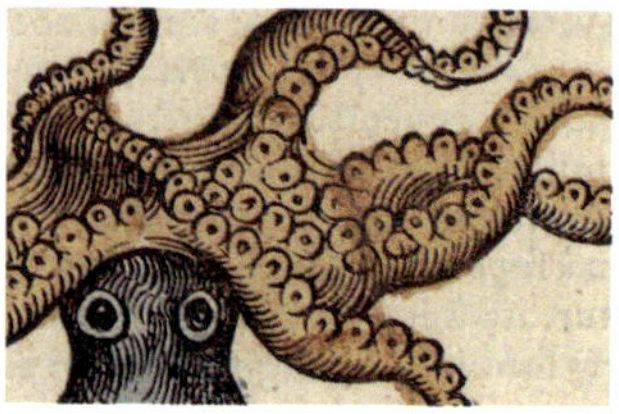

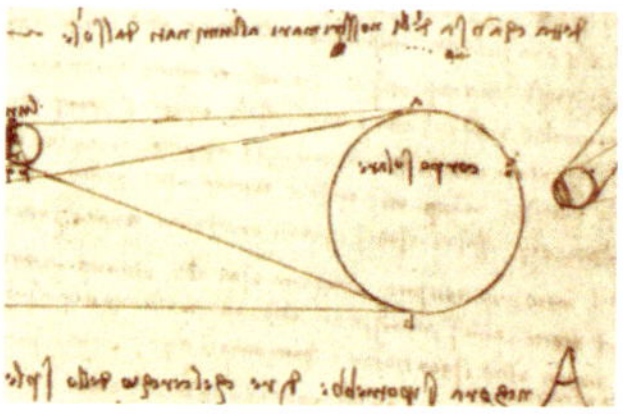

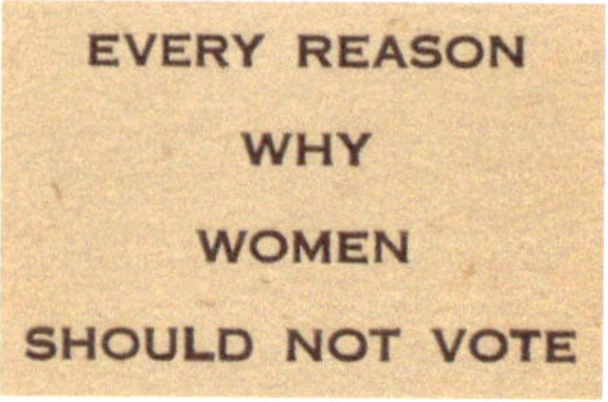
EVERY REASON
WHY
WOMEN
SHOULD NOT VOTE

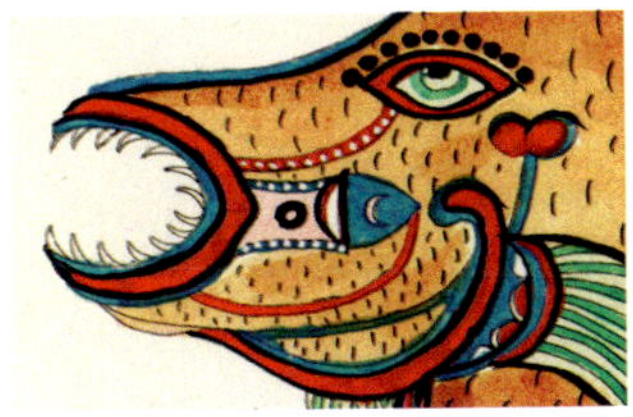

REACHED
DESPERATION
DRIVEN TO
THE
VERGE
CHINA

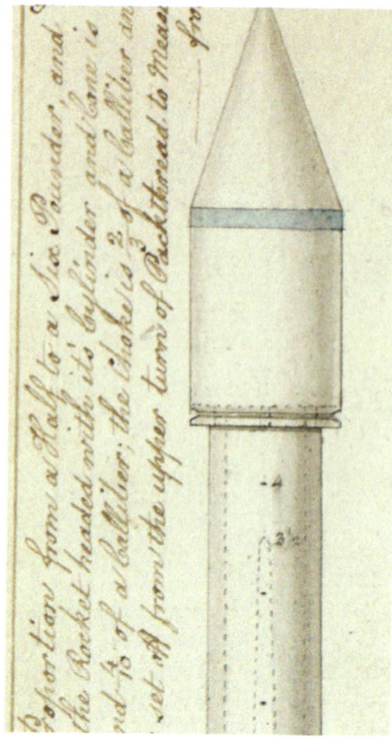

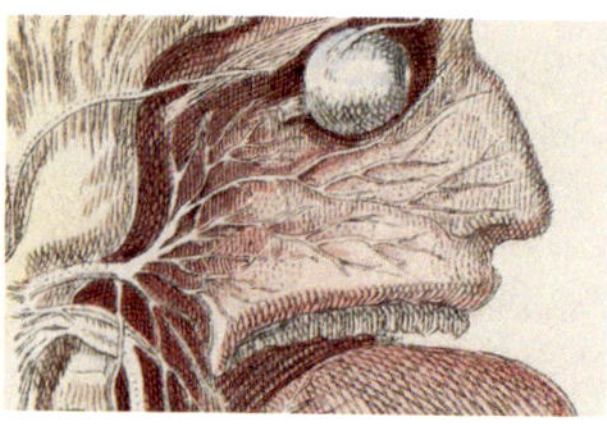

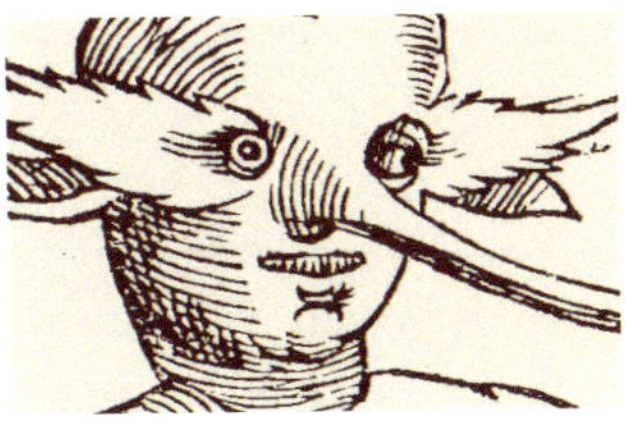

MEMENTO
MORI

Prefácio

É impressionante a riqueza dos séculos passados. Quando pensamos em arte, rapidamente lembramos de quadros em museus, objetos de design ou aulas com pintura em aquarela, e esquecemos das criaturas tímidas e discretas que são os livros.

Dentro de suas capas protetoras, um novo universo se expande, comprimido em papéis e pergaminhos, e a tinta que embebeda as páginas agarra a imaginação com histórias e temáticas muito incomuns às que conhecemos hoje.

Apresentar estes tesouros a você é uma honra. É como uma conversa com os maiores mestres da antiguidade e suas mentes tão sãs, e ao mesmo tempo tão insanas. É conhecer o medo de um camponês visitando os doutores do passado, os envenenamentos por tratamentos errôneos e cirurgias delicadas que eram feitas sem os instrumentos especializados. É também descobrir que os medievais acreditavam em monstros, pseudociência e que a

Terra se encontrava no centro do sistema solar. Muito além disso, é descobrir a beleza, encanto e criatividade dos artistas, escritores e editores buscando livros inéditos e eternos.

A pesquisa para este projeto prolongou-se por um ano e meio, sempre localizando informações e imagens que, como tantas outras, jamais poderiam ter ficado de fora da Enciclopédia. Foi um período tão intenso e gratificante que podíamos sentir toda a energia de trabalho aplicada em cada obra selecionada.

Para uma completa apreciação, note que, em cada um dos 57 livros da Enciclopédia, houve um grande empenho de diversos artistas e profissionais do passado, desde a ideia, escrita e ilustração, até a publicação, impressão, venda para o leitor, o capricho no estoque para que os papéis se mantivessem intactos por tantos anos e a gentil digitalização de várias bibliotecas ao redor do mundo.

Com essa curiosa redistribuição para o público, esperamos mais uma vez dignificar e admirar estes labores de pessoas tão apaixonadas por arte quanto nós.

A Enciclopédia foi organizada sem ordem alfabética ou por data de publicação, e sim para que formasse um caminho de descobertas e cada livro desvendado fosse completamente diferente do próximo.

Você é o mestre que dirá quais obras são Incríveis, e quais são Bizarras.

Boa leitura!

MARINA AVILA

idealizadora e curadora da *Enciclopédia Do Incrível ao Bizarro*, fundadora da Editora Wish

Introdução

Por que os medievais acreditavam em monstros?

Vivemos na Era da Informação. Temos acesso a praticamente qualquer dado em qualquer momento na palma de nossas mãos. Desde opiniões de colegas até artigos científicos, podemos buscar praticamente qualquer coisa que nos interesse conhecer em uma rede 4G, em qualquer lugar que estejamos.

Hoje, não precisamos mais acreditar em histórias de pescadores para saber sobre o fundo do oceano, podendo simplesmente pesquisar em fontes confiáveis por criaturas abissais, suas fotos e biologias.

Porém, há não-tantos-anos-assim, o mundo era bem diferente.

Criando Manuscritos

ANTES DE 1450, praticamente todos os materiais já publicados eram manuscritos. Muito diferente das impressões em massa, cada manuscrito demorava meses ou anos para ser finalizado. O processo de produção era como um trabalho de formigas, dependendo de um mestre com capital para comissionar, e a disponibilidade de artistas para escrever e iluminar a obra.

É conhecido que alguns manuscritos, na época, custavam o preço que hoje seria pago por uma fazenda, tornando suas produções exclusivas para reis, clérigos e nobres.

O processo de criação de um manuscrito consistia na preparação do pergaminho, que era a pele de animais como ovelhas, cabras ou vacas, em uma confecção trabalhosa. As peles eram deixadas de molho na água de cal de três a dez dias para que os pelos se soltassem. Depois, era limpa e esticada para que ficasse reta, e então raspada por vários dias. O resultado após a secagem total era uma superfície suave que duraria por milhares de anos.

Para que pudesse receber a escrita e a tinta, ela era mais uma vez raspada, agora com pedra-pomes, e então cortada em retângulos que seriam as páginas.

O escriba utilizava penas e tintas que ele mesmo criava. As penas eram embebidas em água e então deixadas em areia quente para endurecer e secar. O escriba esculpia a ponta no formato necessário para que a tinta descesse com precisão

Il Fior di Battaglia
J. Paul Getty
Museum 1410

pela fresta. Já a tinta era feita com galhas de carvalhos ou substâncias de carbono.

Quando o escriba finalizava seu fino trabalho, o processo era então passado para o iluminador – ou miniaturista, o artista que criava as famosas ilustrações dos manuscritos.

O iluminador fazia um esboço, também com penas e tintas, e pintava com tintas coloridas feitas de uma variedade de materiais minerais e vegetais moídos e dissolvidos em uma substância. Alguns iluminadores também usavam folhas metálicas de ouro para decorar certas partes do manuscrito.

Com seu trabalho finalizado, o iluminador repassava as páginas para o encadernador. As páginas eram costuradas com linho e amarradas à fitas rígidas de couro. Estas fitas eram então atadas a blocos finos de madeira que serviriam como a estrutura da capa. Por fim, o volume era coberto por couro costurado ou metal. As capas geralmente possuíam uma cinta apertada para que ficassem sempre fechadas, pois o pergaminho enverga e se retrai com grande facilidade.

Tapeçaria Mark após Pieter Coecke 1550 Coleção de Sigismund Augustus

Então, monstros...

POR ESTE PROCESSO longo, trabalhoso e caro, o acesso às informações era restringido aos nobres e, mesmo assim, pouco se conhecia sobre os manuscritos de outros reis e clérigos, já que as bibliotecas eram particulares. Muito diferente de hoje, esses conhecimentos não eram amplamente compartilhados, e cada homem precisava de suas próprias histórias para acreditar.

Com uma silhueta no campo em noites de lua-cheia, os aldeões imaginavam monstros e suas histórias se perpetuavam pelas vilas. Muitos viajantes voltavam de suas navegações com contos de bestas marinhas, e os povos do Oeste garantiam que os monstros moravam no Leste, enquanto os povos do Leste tomavam como certo que o Oeste era cheio de criaturas fantásticas. Com pouco contato entre si, necessitando de viagens a cavalo ou caminhadas de meses para se chegar em poucas centenas de quilômetros de trilhas no frio, neve e chuva, os aldeões em geral precisavam acreditar no que lhes era contado.

Não há um culpado, já que todas as informações chegavam da mesma forma nos ouvidos medievais, que pouco conheciam – ou eram autorizados a criar – processos científicos para desmistificar lendas e religiões.

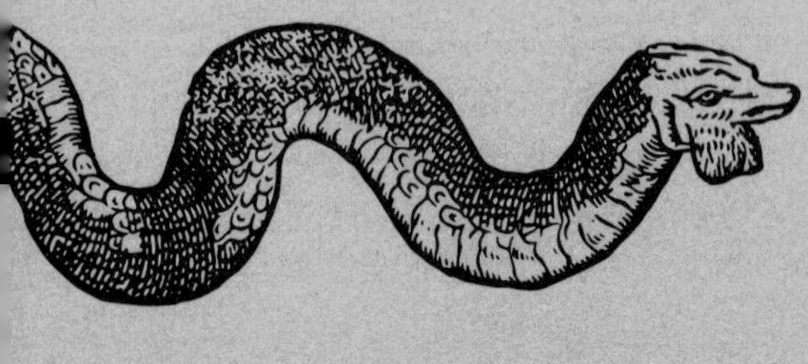

Porém, muitas coisas mudaram na Era da Luz, quando Gutenberg massificou as prensas móveis.

Gráfica de prensas móveis Jan Collaert I 1600 MetMuseum

Imprimindo em prensas móveis

EMBORA O PERÍODO medieval tenha sido de grande avanço para a ciência e a arte, e é possível verificar um progresso dos manuscritos de 1100 d.C. para 1400 d.C., Johannes Gutenberg protagonizou uma nova Era que é tão - ou até mais - importante quanto a invenção dos computadores de hoje e seus processos de produção rápidos e precisos.

A população aos poucos deixou para trás uma era de conhecimentos restritos e adentrou a massificação nas cópias de livros.

Prensas móveis tomaram o lugar de escribas, funcionando como carimbos nas páginas. Cada folha era preparada em uma moldura recheada de letras em alto relevo. A moldura era prensada contra a tinta, e então contra a página. Isso possibilitou que os livros, que antes eram acessíveis apenas a nobres, fossem disponibilizados em massa em bibliotecas, universidades e nas residências da população.

Conhecimento ao longo dos séculos

NUNCA FOI TÃO FÁCIL comprar um livro como hoje. Os avanços e industrializações das gráficas baratearam o custo de impressão, tornando possível que best-sellers a livros de nicho sejam publicados por todo o mundo. Só no Brasil são vendidos mais de 40 milhões de livros por ano – número até pequeno comparado à população.

Ao longo dos séculos, a tecnologia, ciência e conhecimento popular foram avançando, conforme os mitos e pseudociências foram deixados para trás. Porém, vivemos em uma era com tantas informações estabelecidas sem pesquisas, que as *fake news* (notícias falsas) tornaram-se quase tão populares quanto as informações reais – e úteis – que deveríamos receber todos os dias.

Voltamos a acreditar em curas milagrosas, pílulas emagrecedoras tóxicas e pele rejuvenescida com *Adobe® Photoshop®* a um clique de distância. Uma lembrança do período vitoriano e seus *cigarros que curavam asma.*

Talvez o excesso de informações e a facilidade em acessá-las tenha tomado uma proporção errada, e o caminho do conhecimento foi mais uma vez desviado – dessa vez não pela falta de acesso, mas por sua simplicidade de compartilhamento.

Harpia Peruana
Wellcome Collection CCBY

Voltando às origens das publicações

A PESQUISA, questionamentos e experimentos podem voltar a estar do lado da população e não acessível apenas a estudiosos, nobres e cientistas.

Sem curadoria e indicações especializadas, não sabemos em que acreditar, e ficamos à mercê de publicidades que nos desviam da sabedoria e saúde – física e psicológica – reais.

Só nos cabe esperar que essa nova era possa corrigir seu curso, e que as informações impressas e digitais trabalhem novamente para o bem-estar, instrução e entretenimento da sociedade, para que deixemos de ter medo de monstros marinhos, aprendamos sobre meteorologia e possamos construir nossos navios para navegar tranquilamente até o destino que quisermos.

Utópico, mas qual Era nunca buscou ser melhor que a anterior? ❉

1440

As Horas de Catherine de Cleves

The Hours of Catherine of Cleves ou Guennol Hours

As *Horas de Catherine de Cleves* é um raro manuscrito holandês que remonta os anos 1440, além de ser considerado uma das mais sofisticadas obras já criadas

Catherine de Cleves viveu em drama político e teve um casamento infeliz por dez anos com Arnold de Egmond, duque de Guelders.

Arnold estava envolvido em uma das várias guerras dispendiosas que aconteceram durante o período medieval. Forçado pela esposa a ceder o trono para seu filho, foi preso e permaneceu assim até meados de 1471.

Nesse ínterim, acredita-se que Catherine tenha sido responsável por encomendar *As horas*, um livro ilustrado com devoções para que ela pudesse orar ao longo do dia e, com isso, evitar a condenação eterna ao reino dos demônios, que na obra é retratada de maneira vívida.

IDIOMA *Latim*

Autoria

MESTRE DE CATHERINE DE CLEVES

Ilustrações

MESTRE DE CATHERINE DE CLEVES

Publicação 1440

O manuscrito contém 157 miniaturas das 168 originais, que revelam paisagens coloridas e interiores domésticos detalhados. Algumas delas retratam coisas do cotidiano, como vacas leiteiras, manteiga e pão assado. A atração do Mestre das Obras por gêneros e objetos do cotidiano – muito à frente de seu tempo – foi florescer na pintura holandesa de natureza morta durante o século XVII. ✤

Domine labia mea
aperies. Et os meum
annunciabit laudē
tuam. Deus in adiutoriū
meum intende. Domine ad
adiuuandum me festina.
Gloria patri et filio et spiri
tui sctō. Sicut erat. ℞. Ymnus

1898

O LIVRO DA VIDA

The Book of Life: The Spiritual and Physical Constitution of Man

Em um misto de ciência, misticismo e religião, *O Livro da Vida* é uma obra de arte do começo ao fim

A obra-prima do misticismo do Doutor Alesha Sivartha, criado a partir de 1859, constitui uma crença na unicidade do homem na relação física, espiritual e social. *O Livro da Vida* é científico e religioso ao mesmo tempo, contendo ciência, evolucionismo, criacionismo, sociologia e um ensinamento espiritual.

Seus diagramas complexos e detalhados do corpo, sistema nervoso, cérebro, mãos e músculos faciais são mapas estudados de forças agindo de forma conjunta.

IDIOMA *Inglês*

Autoria

ALESHA SIVARTHA

Ilustrações

ALESHA SIVARTHA

Publicação 1898

Primeiro parágrafo traduzido da Introdução:

"A raça humana vem avançando desde as primeiras eras da história. Sob qual lei essa poderosa procissão das eras aconteceu? A ciência e a história respondem que o homem avançou, passo a passo, do domínio ignorante e egoísta de seus órgãos cerebrais inferiores para o domínio benéfico de suas faculdades superiores. As leis que controlaram este vasto movimento ascendente ainda estão em vigor. Elas estão fixadas na própria constituição do homem. E elas são de suprema importância neste momento, pois determinam quais novas instituições e quais mudanças sociais são agora necessárias para atingir esse crescimento superior da humanidade."

Amity
Culture
ORANGE
LEMON
Religion
Familism
Locomot.
Crimson
Inspiration
Reason
AZURE
Memory
BLUE
Form
Color
Perception
Language
PEARL
Sensation
SALMON
APP.
Harmony
RELIGION
Aspiration
Amity
Wisdom
Purity.
SEXAT.
Truth
Service
Industry
Beauty
Arts
Sens.
Home-love
Prud.
Economy
Equity
SCARLET
Economy
Aversion
MAROON
Destruction
CROWN OF TWELVE VIRTUES.
Energy
scarlet
VIBRATIONS
SPIRITUAL LIGHT.
Discoveries By SIVARTHA

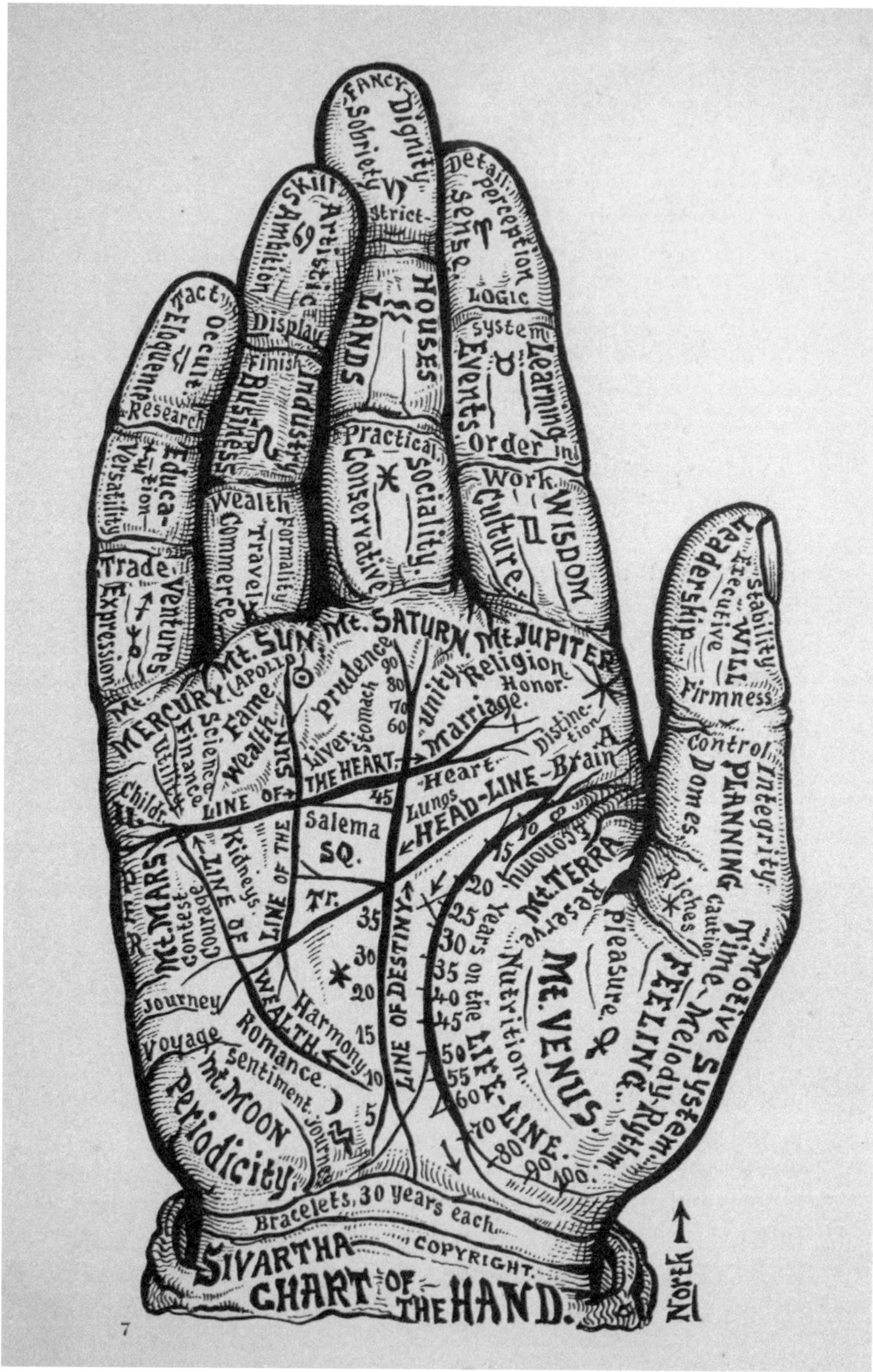
SIVARTHA
COPYRIGHT.
CHART OF THE HAND.
North
Bracelets, 30 years each
Fancy
Dignity
Sobriety
Strict
Skill
Artistic
Ambition
Display
Finish
Industry
Business
Wealth
Commerce
Travel
Formality
Fact
Occult
Eloquence
Research
Educa-tion
Versatility
Trade
Ventures
Expression
Detail
perception
sense
Logic
System
Learning
Events
Order
Work
Culture
WISDOM
HOUSES
LANDS
Practical
Sociality
Conservative
Mt. SUN (APOLLO)
Mt. SATURN
Mt. JUPITER
Mt. MERCURY
Religion
Honor
Prudence
Fame
Science
Finance
Utility
Wealth
Stomach
Liver
Unity
Marriage
Distinc-tion
THE HEART
LINE OF THE SUN
Heart
Brain
Lungs
HEAD-LINE
Salema SQ.
Tr.
Kidneys
LINE OF THE LIVER
LINE OF WEALTH
LINE OF DESTINY
Mt. MARS
Contest
Courage
Journey
Voyage
Harmony
Romance
Sentiment
Mt. MOON
Periodicity
Mt. TERRA
Economy
Reserve
Years on the
Nutrition
LIFE-LINE
Mt. VENUS
Pleasure
Stability
WILL
Executive
Leadership
Firmness
Control
Integrity
PLANNING
Domes
Riches
Caution
Motive
Time
System
Melody
Rythm
FEELING
7

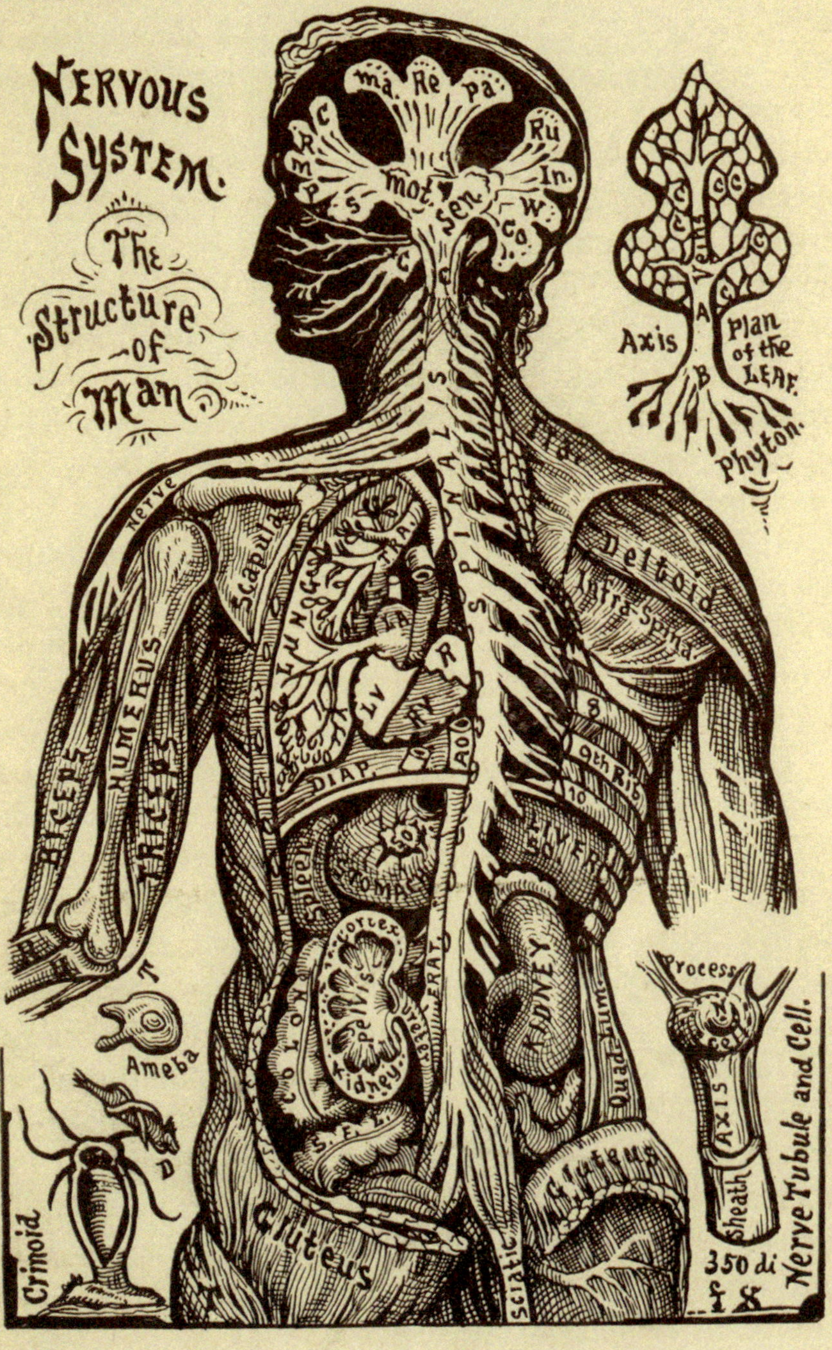
Nervous System.
The Structure of Man
Axis
Plan of the Leaf.
Phyton.
Nerve
Scapula
Lungs
Deltoid
Infra Spina
Spinalis
Biceps
Humerus
Triceps
Diap.
9th Rib
Liver
Spleen
Stomach
Colon
Cortex
Pelvis
Ureter
Kidney
Quad. Lum.
Process
Axis
Sheath
Nerve Tubule and Cell.
350 di
Ameba
Crinoid
Gluteus
Sciatic

1561

O LIVRO MODELO DA CALIGRAFIA

Mira calligraphiae monumenta

Junção de artes e letras neste antigo manuscrito demonstra o poder gráfico da caligrafia e design

Um dos livros mais belos de todos os tempos, sublime e profissional, é O *Livro Modelo da Caligrafia*, fruto de uma parceria entre dois autores: Georg Bocskay, um escrivão e Joris Hoefnagel, um miniaturista.

Adornado com dezenas de ilustrações complexas, textos caligrafados como orações, hinos e passagens bíblicas são transformados em obras de arte pelo miniaturista Hoefnagel, conhecido como o último grande ilustrador de manuscritos da Europa.

IDIOMA *Latim*

Autoria

GEORG BOCSKAY

Ilustrações

JORIS HOEFNAGEL

Publicação 1561

Hoje existem apenas duas cópias deste livro no mundo, sendo que uma está na coleção do Museu Getty.

Obras feitas à mão e com tanto cuidado são raríssimas e, por sua vez, muitíssimo valiosas. O Museu Getty situa as circunstâncias em que este material foi criado:

Nos anos 1500's, quando a impressão se tornou um método mais comum de produção de livros, os intelectuais cada vez mais valorizavam a criatividade de escrivãos e qualidades estéticas da escrita. De 1561 a 1562, Georg Bocskay, o secretário croata do Imperador romano Ferdinando I, criou este *Livro Modelo de Caligrafia* em Viena para

7.
DEVS QVI NOS IN TANTIS
PERICVLIS CONSTI
TVTOS: PRO HVMANA SCIS
FRAGILITATE NON POSSE
SVBSISTERE DA NOBIS SALV
TEM:

demonstrar a maestria técnica e a imensa variedade de estilos de escrita conhecidos por ele.

Após cerca de trinta anos, o Imperador Rodolfo II, neto de Ferdinando, contratou Joris Hoefnagel para pintar o livro de Bocskay. Hoefnagel adicionou frutas, flores e insetos em praticamente todas as páginas, em composições que auxiliavam a realçar a unicidade e balanço do design das páginas. É uma das mais incomuns colaborações entre escrivão e pintor na história das iluminuras manuscritas. ✤

DEm Allerdurchleuchtigisten vnnd
Großmechtigisten Fürsten vnnd herrn herrn
Carln Römischem Kayser zu allen zeyten/ me
rer des Reichs in Germanien zu Hispanien &c.

m
n

1892

Dicionário Universal de História Natural

Dictionnaire universel d'histoire naturelle

Um dos mais belos exemplos de livros ilustrados de biologia e zoologia

A coleção de 10 tomos de *Dictionnaire Universel D'histoire Naturelle*, escritas por Charles Dessalines d'Orbigny, é um dos melhores exemplos de arte do século XIX. Charles era botânico e naturalista, e irmão mais novo do naturalista francês Alicide d'Orbigny.

Os livros descrevem animais e plantas de diversas partes do mundo, e a edição de 1892 recebe ilustrações coloridas de animais como o elefante, girafa, pavão, tucano, lagosta, humanos e até animais pré-históricos.

IDIOMA *Francês*

Autoria

CHARLES D'ORBIGNY

Ilustrações

CHARLES D'ORBIGNY

Publicação 1892

Em uma época distante dos filmes com dinossauros, a população ainda carecia de conhecer a possível aparência real destes e de outros animais, e uma publicação com este nível de detalhes e colorida é um marco na história da biologia.

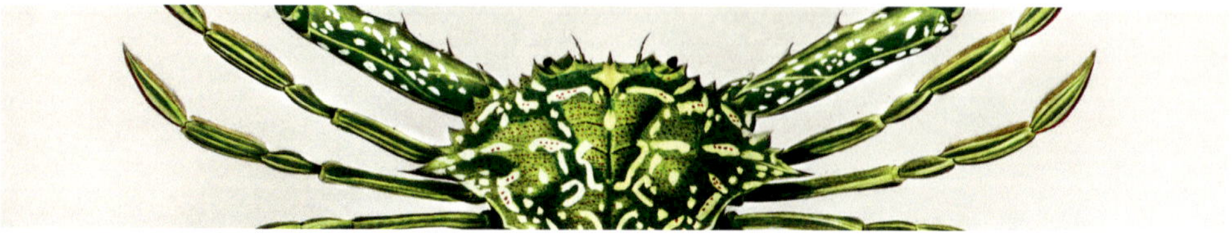

DICT. UNIV. D'HIST. NAT.
Mammifères. PL. 14.
Annedouche. sc.
1ère SÉRIE. QUADRUPÈDES SANS OS MARSUPIAUX. (Is. G. St Hill.)
7me Ordre.
RUMINANTS.
Girafe. (Camelopardalis girafa, F. Cuv.) 1/24 de gr. nat.

3ème Ordre GRIMPEURS. *Toucan du Para*. (Ramphastos maximus, Cuv.) 3/8 de gr. nat.

DICT. UNIV. D'HIST. NAT.
Mammifères PL. 8.
1re SÉRIE: QUADRUPÈDES SANS OS MARSUPIAUX,
4me Ordre:
CARNASSIERS. CARNIVORES. Jaguar. (Felis onça Linn.)

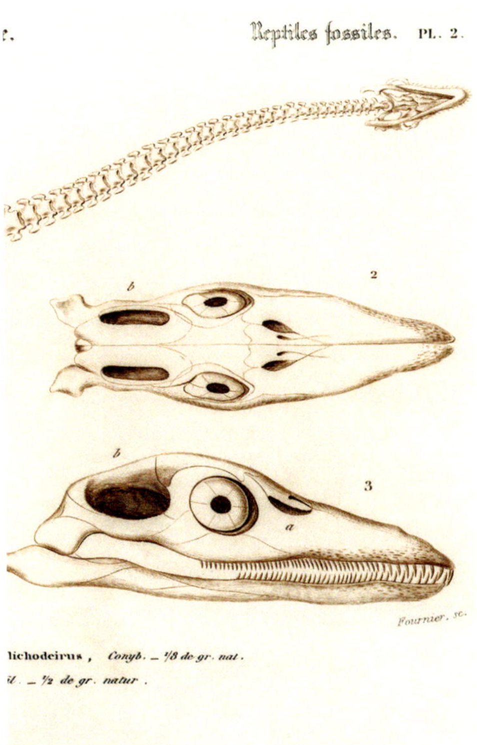
Reptiles fossiles. PL. 2.
b
2
b
3
a
Fournier, sc.
lichodeirus, Conyb. _ 1/8 de gr. nat.
il. _ 1/2 de gr. natur.

DICT. UNIV. D'HIST. NAT.
Crustacés. PL. 3.
Homard commun (Homarus vulgaris,

ės pinx

6ème Ordre
PACHYDERMES.

1.ère SERIE. QUADRUPÈDES

Eléphant des Inde

Folliau

SANS OS MARSUPIAUX (Is. G. S. Hil.)

. (Elephas indicus, *Cuv.*) *1/35 de grand.r natur.*

imp.

Aprox. 1475

O Pergaminho de Ripley

Ripley Scrowle

Um pergaminho alquímico dos séculos XV, XVI e XVII com cerca de 6 metros de comprimento que descreve como fazer a lendária pedra filosofal

IDIOMA *Latim*

Autoria

GEORGE RIPLEY

Ilustrações

GEORGE RIPLEY

Publicação 1475

George Ripley, um alquimista, autor e cônego, nasceu em 1415 na Inglaterra, estudou na Itália por vinte anos e se tornou próximo do Papa Inocêncio VIII. Retornando para a Inglaterra, ele escreveu *Os Doze Portões que levam à Descoberta da Pedra Filosofal* (Liber Duodecim Portarum), em 1471. Porém, sua obra mais conhecida leva o nome de *Pergaminho de Ripley*, ou *Ripley Scrowle*. Existem 23 exemplares conhecidos do pergaminho, todas diferentes em cor, tamanho ou detalhes, mas são cópias de um original perdido do século XV. Alguns possuem uma amostra de poesia escritas pelo próprio George Ripley. Em 2017, uma cópia foi exibida pela Christie's, famosa casa de leilões de Londres, por um valor estimado de 200 a 300 mil libras.

Diferentes cópias do pergaminho produzidas ao longo dos séculos

The red sea: the red Lune: the red Sol:
here is the fume the wich is called the mouth of the Collericke

Luna in crescente

THE.MOVTH.OF.COLERK
here is the last of the Red, and the begining to put a waye ý ded ý elexe vite,

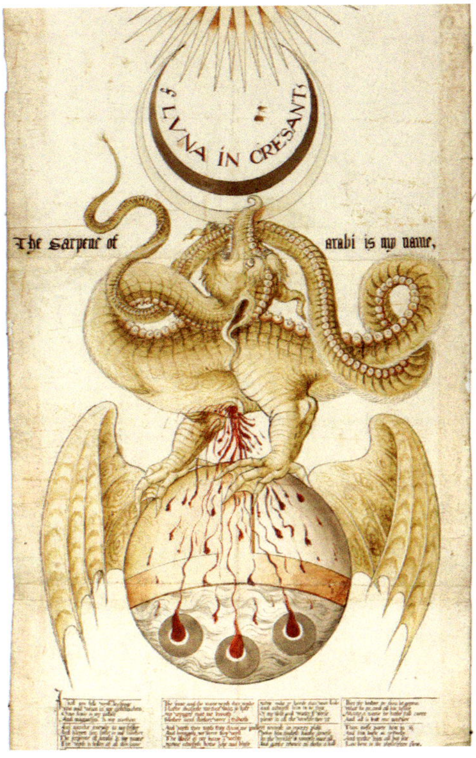
LVNA IN CRESANT
The sarpent of arabi is my name,

THE.RED.SEE.TE.RED.SOL.TE.RED.ELEXER VITE

1874

ESPÉCIMES EM MADEIRA CROMÁTICA

Specimens of Chromatic Wood Type and Borders

Ornamentos criados por uma madeireira para demonstrar os tipos de impressão em cores

IDIOMA	*Inglês*
Autoria	WILLIAM H. PAGE
Ilustrações	WILLIAM H. PAGE
Publicação	1874

Espécimes de madeira cromática e ornamentos foi produzido pela madeireira William H. Page em 1874, ilustrando tipos para impressão em madeira de cores variadas e usado como livro de amostras para a venda. Eles custavam, em média, 25 centavos de dólar cada um, dependendo do tipo de letra e cor. Em algumas dessas letras é possível ver linhas de espaços em branco que eram destinadas à adição de outra cor no momento da impressão. No entanto, no século XIX, as cores eram aplicadas no papel uma a cada vez, ou seja, o papel passava na máquina de impressão várias vezes de acordo com a quantidade de cores que seria aplicada. Isso que significa que fazer com que cada peça do tipo atingisse a folha de papel exatamente no lugar certo em relação às outras partes coloridas da mesma letra exigia grande habilidade.

O sistema de controle de posicionamento é chamado de registro. Esses tipos cromáticos foram projetados para registrar o máximo possível, sendo cortados de um único padrão em níveis diferentes, mas, dada a inexatidão inerente das impressoras, ainda é um grande feito.

Além de fornecer mais de 100 páginas de cores brilhantes e tipos variados, o livro também pode ser visto como uma espécie de volume

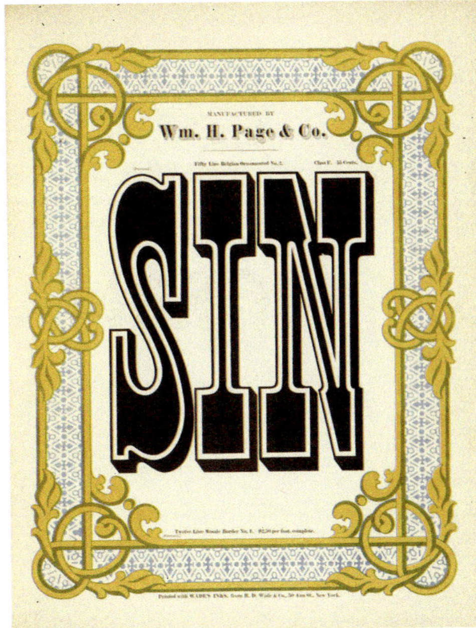

de poesia experimental, com frases estranhas como "Noiva Rústica" adornando suas páginas. A decisão sobre as palavras utilizadas e em que ordem seriam apresentadas pode ser questionada quanto a sua aleatoriedade.

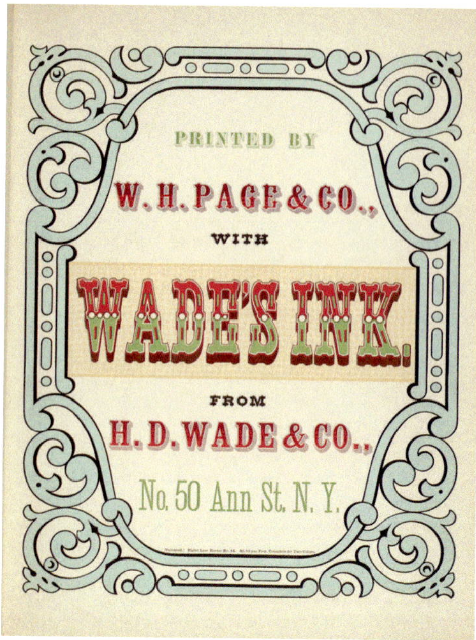
PRINTED BY
W. H. PAGE & CO.,
WITH
WADE'S INK.
FROM
H. D. WADE & CO.,
No. 50 Ann St. N. Y.

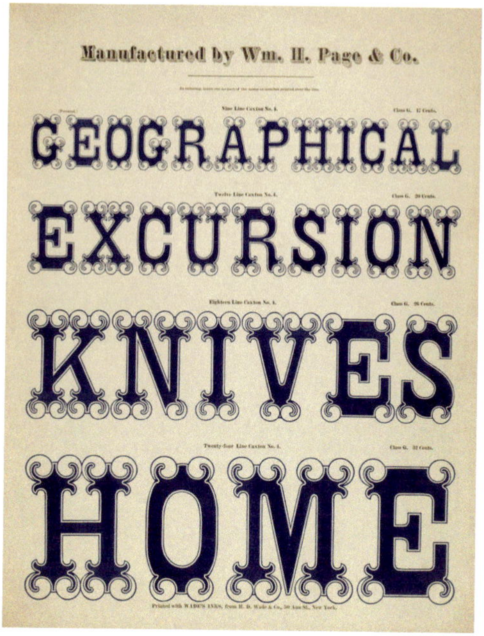
Manufactured by Wm. H. Page & Co.
GEOGRAPHICAL
EXCURSION
KNIVES
HOME

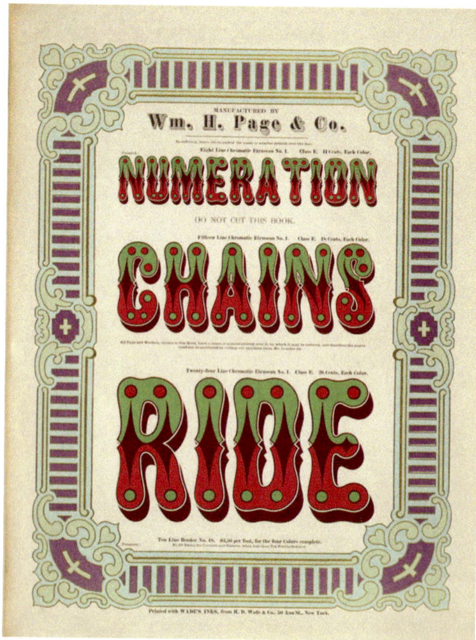
Wm. H. Page & Co.
NUMERATION
CHAINS
RIDE

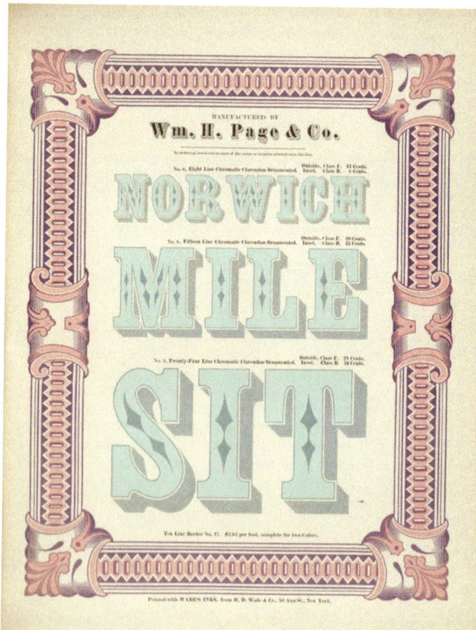
Wm. H. Page & Co.
NORWICH
MILE
SIT

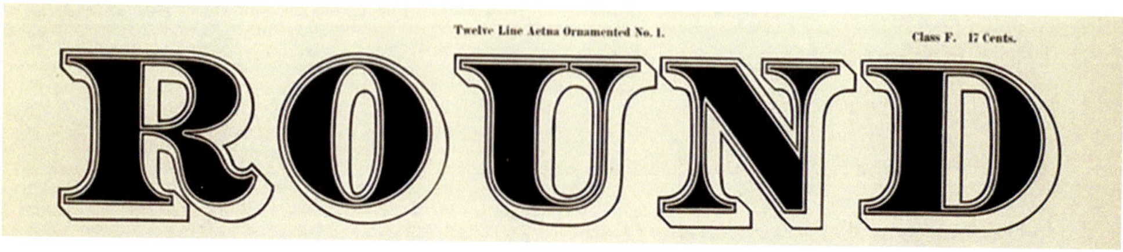
Twelve Line Aetna Ornamented No. 1.
Class F. 17 Cents.
ROUND

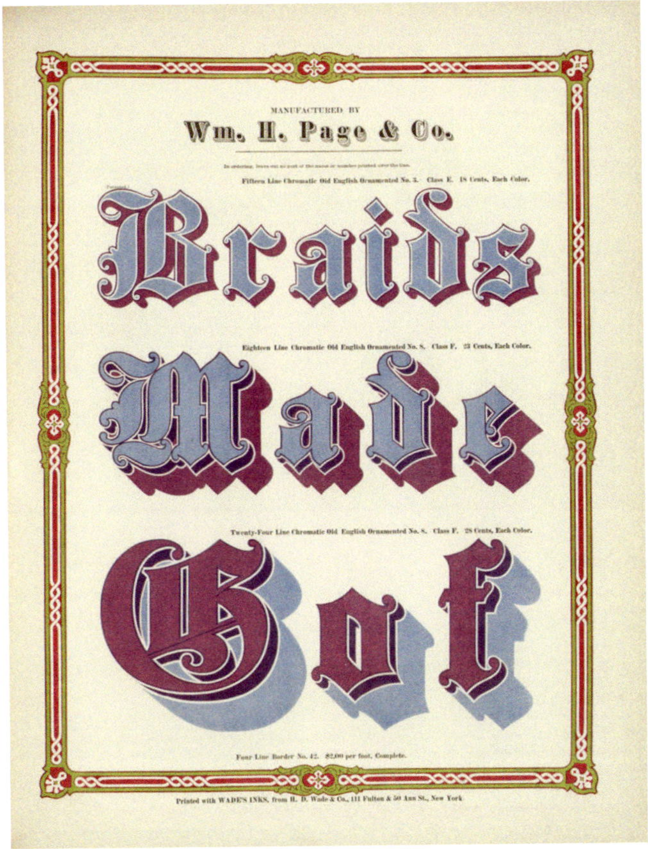

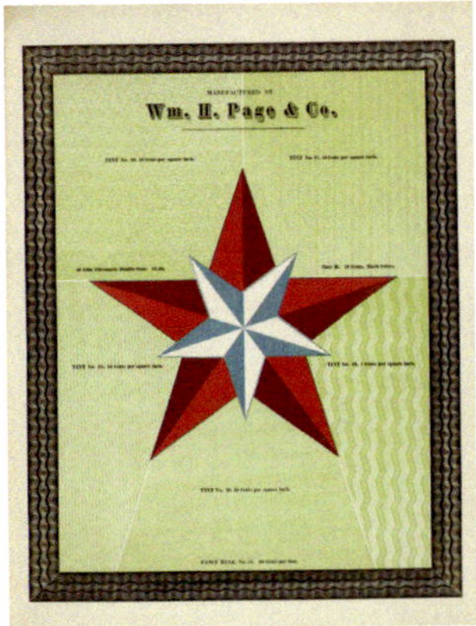

"Para impressores que trabalham com cor:

Temos o prazer de colocar diante de você um Livro de Espécimes de Madeira Cromática, e diríamos que agora são dezoito anos desde que começamos a fazer Tipos. O progresso na arte pode ser visto comparando o volume atual com espécimes daquela época. Naqueles dias, existiam cinco ou seis outros fabricantes no país. Agora fabricamos sete-oitavos de todo o tipo de madeira feita, e podemos mostrar um Livro de Tipo Cromático e Bordas que não pode ser superado.

Demorou anos para prepará-lo e aperfeiçoá-lo. Os projetos, com duas ou três exceções, são inteiramente originais para nós. A demanda pelo Tipo Cromático é bastante limitada, portanto não podemos fornecer este livro gratuitamente, apenas aos nossos agentes.

Respeitosamente, Wm. H. Page & Co.

Introdução a Espécimes do Tipo de Madeira Cromática, 1874"

Aprox. 1600

Coleção de Manuscritos Alquimícos de Manly Palmer Hall

Manly Palmer Hall collection of alchemical manuscripts

Uma coleção com mais de 200 manuscritos e detalhadas artes de Alquimia, Hermetismo e Maçonaria, selecionados por autor canadense

Manly Palmer Hall, um colecionador de artes, autor e místico canadense, selecionou obras de 1500 a 1825. A coleção contempla 243 manuscritos em 68 volumes, contendo o *Pergaminho de Ripley*, um manuscrito francês de Michael Maier conhecido como Atlanta Fugiens, místicas ilustrações de Jacob Böhme, um manuscrito holandês cosmológico e outras obras raras. Manly nasceu em 1901 no Canadá e sua família se mudou para os Estados Unidos em 1904. Se interessou por artes ocultas desde jovem e se juntou a várias sociedades. Faleceu em 1990, tendo escrito mais de cinquenta livros.

IDIOMA *Vários*

Autoria

VÁRIOS

Ilustrações

VÁRIOS

Publicação **1600**

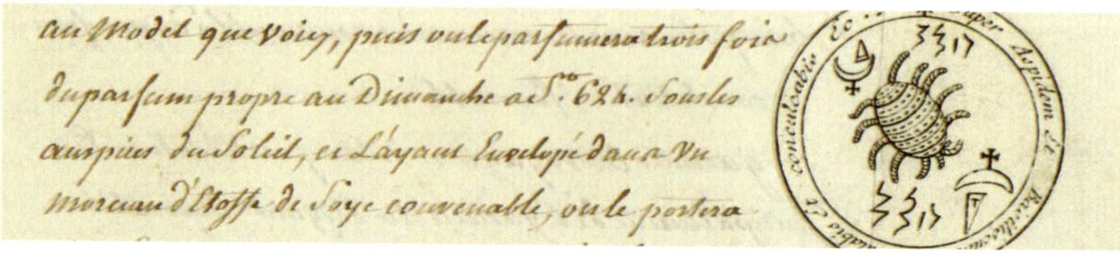

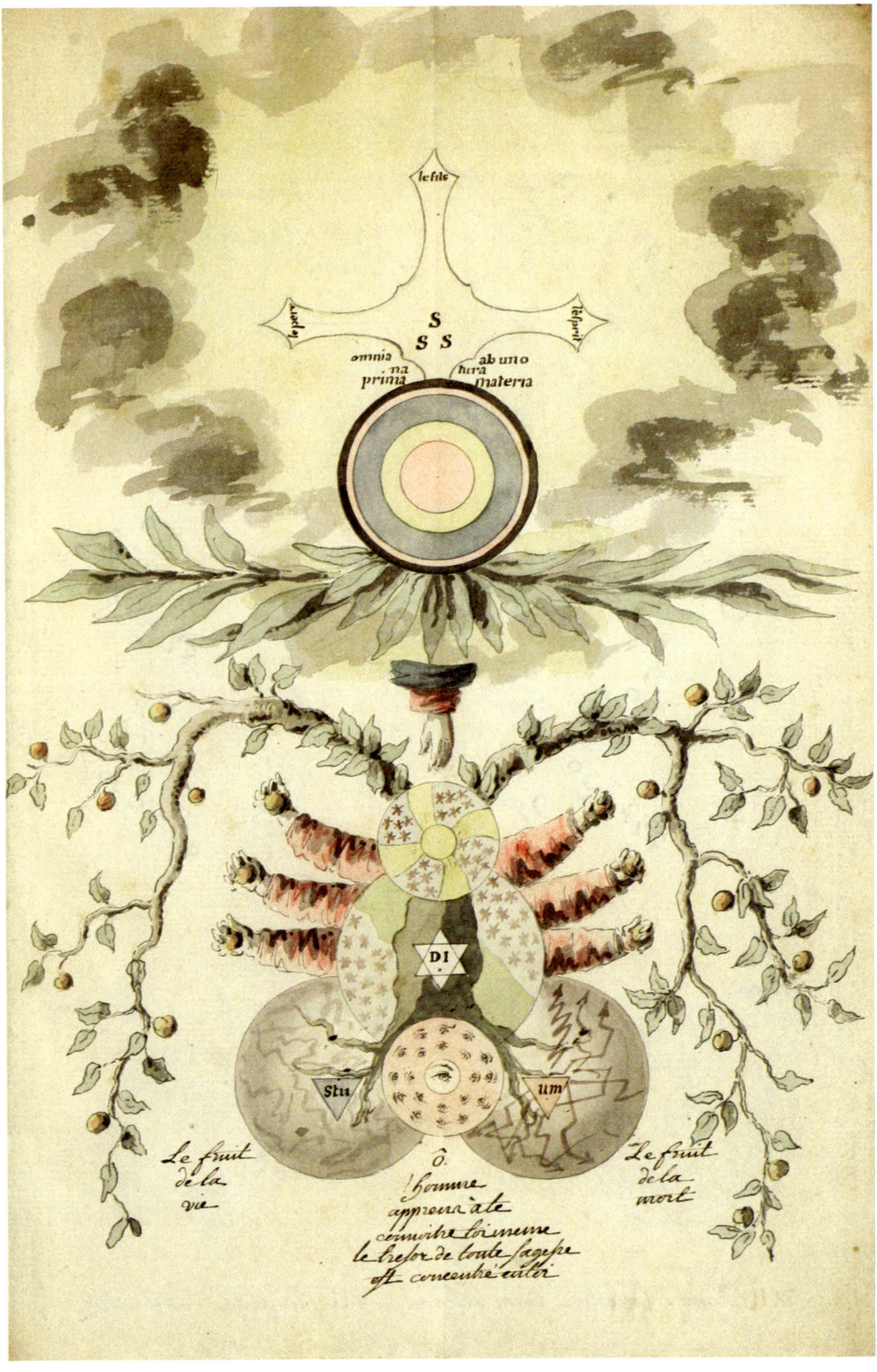
le fils
le pere
le sprit
S
S S
omnia
na
prima
ab uno
hira
materia
DI
Stu
um
Le fruit
de la
vie
Le fruit
de la
mort
ô.
l'homme
apprens à te
connoitre toi meme
le tresor de toute sagesse
est concentré en toi

Pictura Continens homini propria et Liberali admiratione,
non sine oblectatione Spectanti, rei affinia.
hic est ignis philosophicus
putrefactionis scilicet.
hæc ars est facillima, si doctum ac diligentem,
id est theoricum habuerit artificem. Theorica Phisica
bene cognita, Practicam tribuit successive operatio
manualis.
Quid quid preter Necessitatem fuerit in hac arte
Vitabimus

Experientia Testis Est.
Sol et Luna.
Sol.
Draco Comedens Caudam Suam.
Dividimus
Componimus

arbor Solis
arbor Lunæ
Draco
Lapis celestis quaesitus a multis, inventus a paucis

Separation
Distillation
Evaporatio
Filtration
Solutione
Projection
Multiplica
Fixation
Fermentatio
Imbibition

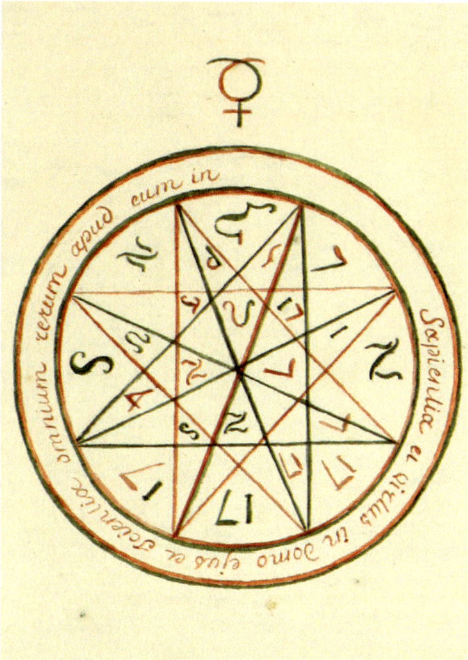
Sapientia et virtus in domo ejus et scientia omnium rerum apud eum in

Suscitans a terra inopem et de stercore erigens pauperem ut collocet
omel, Parosiel, Zedechia Pava

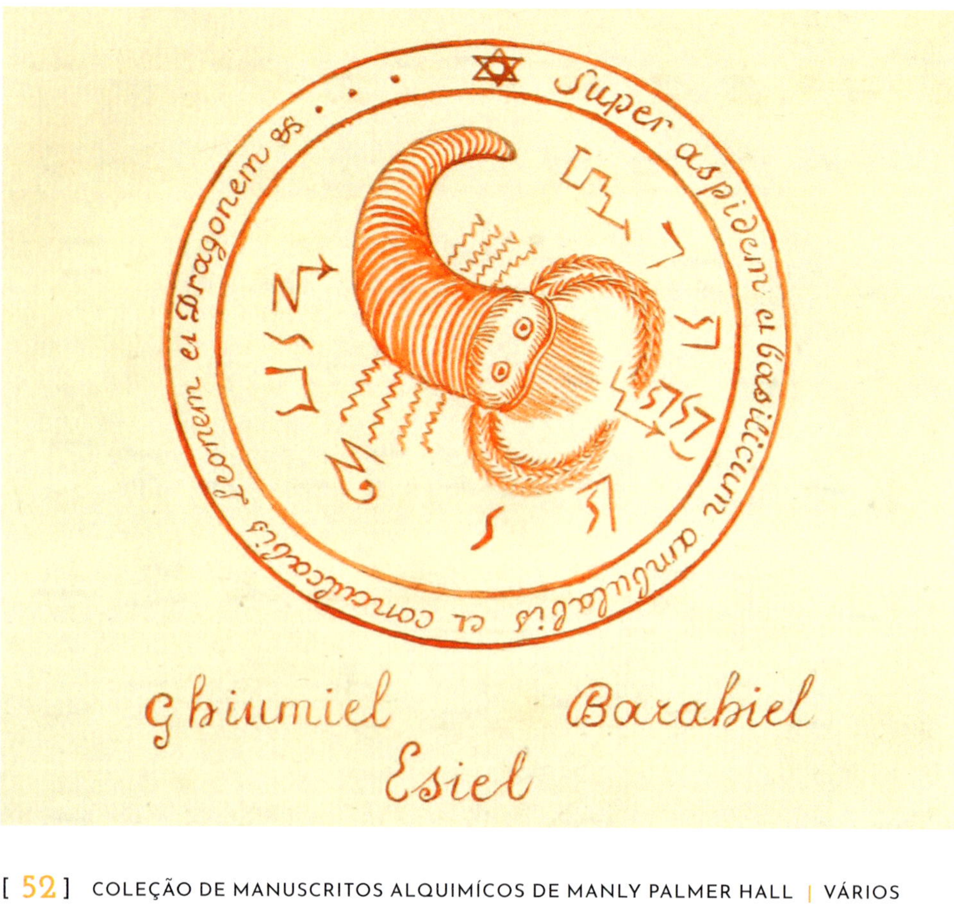
Super aspidem et basiliscum ambulabis et conculcabis leonem et Dragonem
Ghiumiel
Barabiel
Esiel

49. Fermentatio.

Unser
geistliche
HYLE
die Ewig
Das LICHT
MERCURI
Philo
us Vito
Sophorum
Heis
Antimoni
Cabalinæ
um Magicum
Philo Sophicum
DEMOGORGON

1902

A LEITURA DE PERSONALIDADES DE VAUGHT

Vaught's Practical Character Reader

Um livro de frenologia para leitura de caráter, personalidade e intelecto através de feições e estruturas faciais

IDIOMA *Inglês*	
Autoria	L.A. VAUGHT
Ilustrações	L.A. VAUGHT
Publicação 1902	

Frenologia é uma pseudociência cuja teoria se baseia em o intelecto, caráter e personalidade de uma pessoa poderem ser determinados pelo formato de seu crânio. Foi uma forma de aplicar um aspecto científico ao racismo, sexismo e outras formas de discriminação no século XIX.

Este livro adapta a frenologia para uma leitura quase caricaturada de elementos biológicos comuns e genéticos pelo frenologista de Chicago L.A. Vaught. Ele explica cada uma das 42 características como Hospitalidade, Frivolidade, Energia, Ganância, Impulsividade e diversas outras individualidades através do formato do nariz, queixo, cabeça, olhos e maxilar.

VAUGHT'S PRACTICAL CHARACTER READER. 29

The reason this man is an unreliable husband is because he is very weak in Conjugality and Parental Love and exceedingly strong in Amativeness. Young ladies, beware of such men as husbands.

“ ***Um marido não confiável:*** *A razão pela qual este é um marido não confiável é pela fraqueza em conjugalidade e amor parental, e força excessiva em amatividade (tendência para amar ou instinto sexual). Moças, cuidado com tais homens como maridos.* ”

This illustration represents the manifold productions of a single faculty—Mirthfulness. It chiefly makes the clown, the comedian, the wit and the humorist.

LOVE OF MISCHIEF.

Love of mischief springs directly from the element of Mirthfulness. When it is very strong, Veneration weak and Secretiveness, Destructiveness and Human Nature large, one will run over in fun-loving mischief and the playing of prank on others in school and out of school.

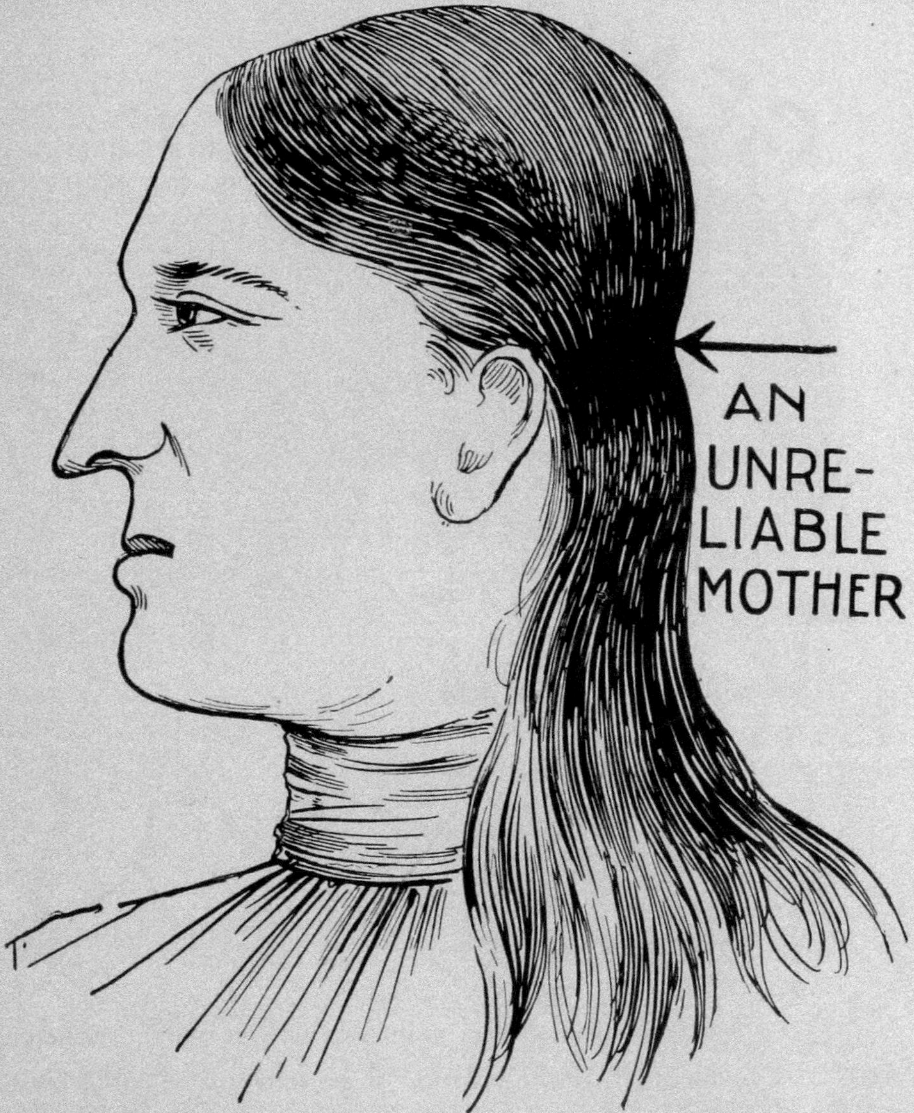

This is a striking illustration. It will pay all to remember this head formation and especially all men who would select wives who will make good mothers.

SLOVENLINESS.

Why is one slovenly? Because his faculties of Ideality, Order, Self-esteem and Approbativeness are weak. Positively nothing more true.

ANOTHER KIND OF CRYING.

There are **selfish** children who **seem** to cry but do not. They use the cry as a means to an end. This should not be termed crying, but calling, bawling, howling, screeching.

The above illustration represents a very important fact. To be a genuine father is to have a strong faculty of Parental Love and there is only one faculty of this kind and one place to look for it. No man with a deficient, perpendicular back head is a natural father.

A GENUINE FATHER.

A genuine father has strong faculties of Parental Love, Conjugality, Conscientiousness, Friendship, Approbativeness and Self-esteem. The chief of these is Parental Love. This social element gives an instinctive love of children and therefore a fatherly nature. Be sure that this faculty is large with large Conscientiousness and such a man will not go back on his children.

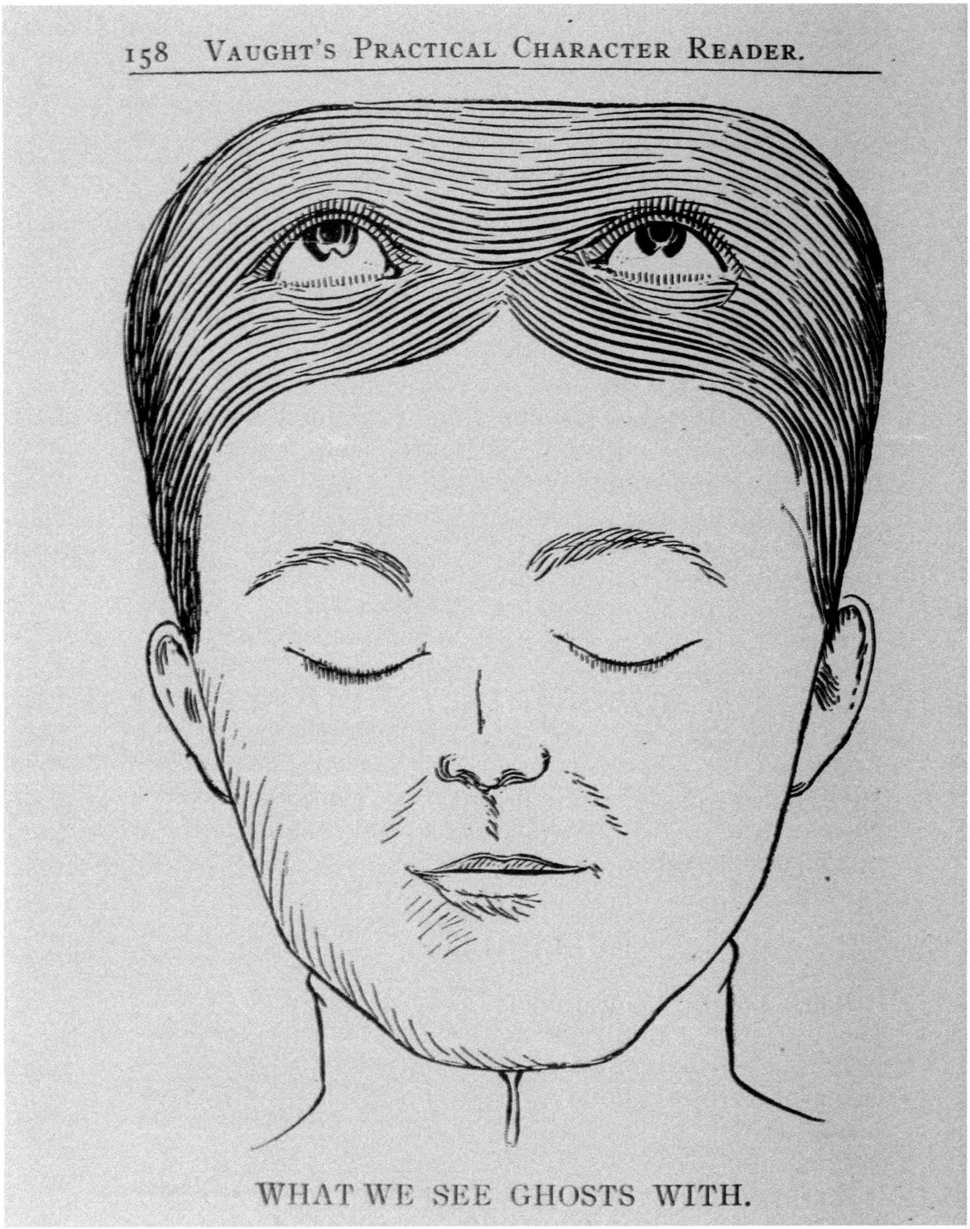

A frenologia foi uma razão para a eugenia da época, como uma limpeza racial, e hoje em dia é vista com bem menos seriedade do que no período vitoriano, quando ganhou maior força.

O livro possui 260 páginas ilustradas comicamente, mas que ainda devem ser lembradas por seu propósito principal e pouco conectadas à ciência. ✽

Aprox. 1600 *antes de Cristo*

O LIVRO DOS MORTOS DO ANTIGO EGITO

O famoso livro dos mortos, frequentemente mencionado em filmes sobre múmias egípcias, era, na verdade, algo muito além de uma obra única

IDIOMA *Egípcio*
Autoria
DESCONHECIDO
Ilustrações
DESCONHECIDO
Publicação 1600 a.C.

Também chamado de *Livro de saída para a luz*, do original egípcio, o *Livro dos Mortos* era um compilado de feitiços, orações, hinos e fórmulas mágicas que tinham por objetivo guiar o morto em sua viagem no outro mundo e ajudá-lo a enfrentar os desafios encontrados durante sua jornada. O livro transcende os ideais egípcios sobre o *julgamento* dos mortos, em que, de acordo com a crença geral, bens e *status* social de nada valeriam, e somente os atos seriam considerados. Dessa forma, somente as fórmulas contidas nos escritos poderiam garantir ao morto uma viagem tranquila para o paraíso, e graças ao baixo custo de reprodução do material, ele estava acessível a quase todos os egípcios.

Porém, ao contrário do que o nome dá a entender, o *Livro dos Mortos* não é exatamente um livro, ao menos da forma como conhecemos hoje. É, na verdade, uma série de escritos e ilustrações compilados em papiros, dispostos ao lado das múmias ou expostos nas paredes das câmaras mortuárias. O nome *Livro dos Mortos* originou-se a partir dos saqueadores que, já no século XIX, profanaram as tumbas em busca de riquezas. Ao se depararem com os capítulos ao lado dos defuntos, os saqueadores os apelidaram de "livro dos defuntos".

Edição do MetMuseum de 1050 a.C., da 21ª Dinastia. Reino de Psusennes I-II Rogers Fund, 1930

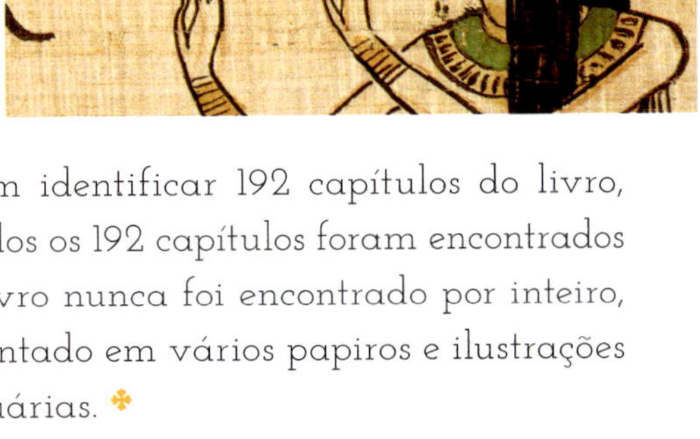

Os historiadores já conseguiram identificar 192 capítulos do livro, mas em nenhuma escavação todos os 192 capítulos foram encontrados juntos. Em outras palavras, o livro nunca foi encontrado por inteiro, e seu conhecimento está fragmentado em vários papiros e ilustrações nas paredes das câmaras mortuárias.

1025

CÂNONE DA MEDICINA

al-Qānūn fī aṭ-Ṭibb

Um dos livros mais antigos e famosos sobre medicina do mundo, o Cânone se transformou em obra de arte

14 volumes de uma enciclopédia médica escrita por um médico e filósofo mulçumano, Ibn Sina (Avicena), que se baseava na medicina islâmica medieval, experiências pessoais e antigas medicinas persas e árabes.

O *Cânone* foi utilizado até o século XVIII e é uma escrita muito reputada, embora as ilustrações sejam bastante diferentes das atuais.

Ainda é usado na *Yunani*, medicina tradicional da Índia.

IDIOMA *Árabe*

Autoria

AVICENA

Ilustrações

DESCONHECIDO

Publicação 1025

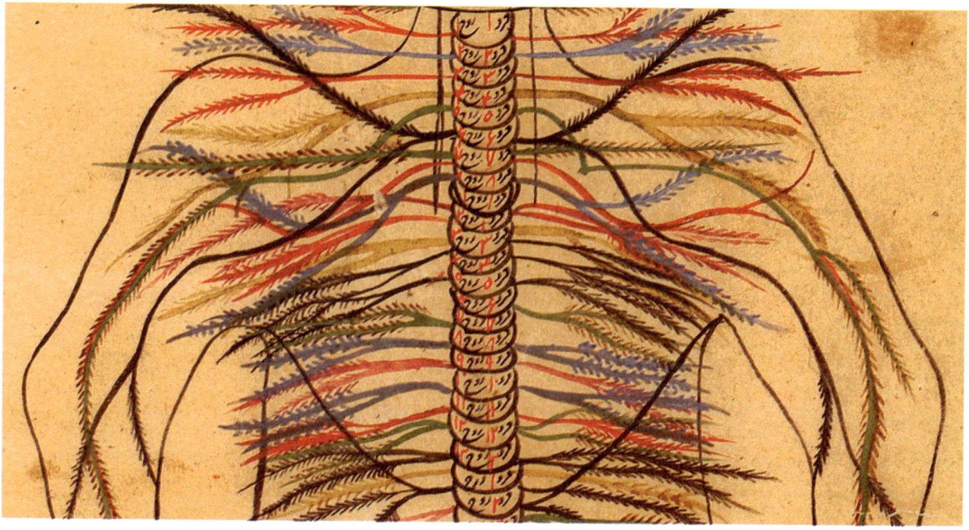

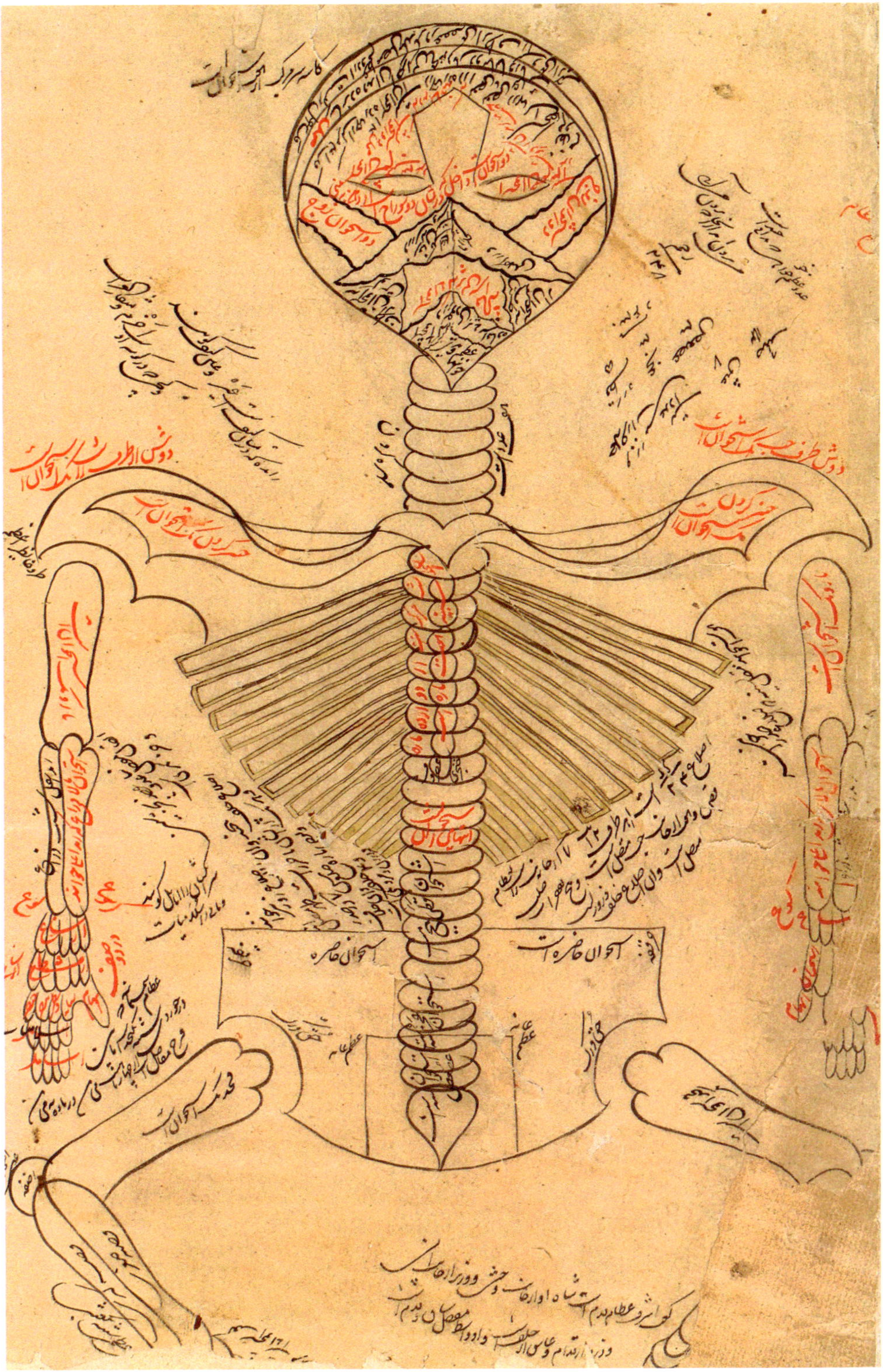

1540

AS ARTES ATLÉTICAS

Opus Amplissimum de Arte Athletica

Artes marciais de 1540 em volumes belíssimos, coloridos e ilustrados

O manuscrito alemão do século XVI foi comissionado por Paulus Hector Mair e atualmente está em uma biblioteca de Munique, na Alemanha. Ilustrado por Jörg Breu, o manuscrito é um compêndio enorme, com mais de 1200 páginas e centenas de ensinamentos de artes marciais. Os tratados são formados por técnicas corporais e combates com armas e cavalaria. Os autores são Fabian von Auerswald, Gregor Erhart e Martin Huntfeltz. ✣

IDIOMA *Latim*

Autoria

FABIAN VON AUERSWALD

Ilustrações

JÖRG BREU

Publicação 1540

DEINDE HOC MODO CONGREDIVNTVR
in concursu cuiusdem scutis.
4

SIC VTRINQ. ALTER ALTERVM PETIT
in predicto Tyrocinio, sub armatura ex Calybe facta, ut dictum est.
6

1838

ALMANAQUE ANTI-ESCRAVIDÃO AMERICANO

The American anti-slavery almanac

Horrores e realidades do antigo mercado de escravos em gráficos almanaques anuais

Publicado inicialmente em 1836 pela Sociedade Americana Anti-Escravidão, os almanaques foram uma tentativa de conscientizar sobre a escravidão na América do Norte do século XIX. A edição de 1838 possui imagens de conteúdo gráfico para demonstrar os horrores que ainda aconteciam na época. Embora a proibição de importação de escravos tivesse sido aprovada em 1807, o mercado de negros não havia acabado até a Guerra Civil.

IDIOMA *Inglês*

Edição

ISAAC KNAPP

Ilustrações

DESCONHECIDO

Publicação 1838

Diversas outras formas de comunicação em massa foram utilizadas pelos abolicionistas para disseminar a mensagem de reforma social.

—VOL. I. No. 3.—

THE AMERICAN ANTI-SLAVERY ALMANAC, FOR 1838,

Being the second after Bissextile or Leap-Year, and the 62nd of American Independence. Adapted to most parts of the United States.

"Thus saith the Lord, Execute judgment in the MORNING, and deliver him that is spoiled out of the hand of the oppressor."

N. SOUTHARD, EDITOR.

BOSTON:
PUBLISHED BY ISAAC KNAPP.
No. 25, Cornhill.

HUNTING SLAVES WITH DOGS AND GUNS.

The St. Francisville (La.) Chronicle, of Feb. 1, 1839, gives the following account of a 'negro hunt,' in that Parish.

"Two or three days since, a gentleman of this parish, in *hunting runaway negroes*, came upon a camp of them in the swamp, arrested two of them, but the third made fight; and upon *being shot in the shoulder*, fled to a sluice, where the *dogs succeeded* in drowning him."

The Rev. Francis Hawley, pastor of the Baptist Church in Colebrook, Ct., lived fourteen years in N. and S. Carolina. He says: "Runaway slaves are frequently hunted with guns and dogs. *I was once out on such an excursion, with my rifle and two dogs.* I trust the Lord has forgiven me!"

"HUNTING MEN WITH DOGS.—A negro who had absconded from his master, has been apprehended and committed to prison in Savannah. The editor who states the fact, adds, that he did not surrender till *he was considerably* MAIMED BY THE DOGS."—New York Com Advertiser, June 8, 1827

It is common to keep dogs on the plantations, to pursue and catch runaway slaves.—Nehemiah Caulkins, Waterford, Ct., who lived in North Carolina.

There was a man living in Savannah when I was there, who kept a large number of dogs for no other purpose than to hunt runaway negroes. And he always had enough of this work to do.—Rev. H. Moulton, Marlboro' Mass.

ADVERTISEMENTS OF RUNAWAYS.—"Ranaway Mary, has a *scar* on her back and right arm, *caused by a rifle ball.*"—Natchez Courier, June 15, 1838.

"Ranaway Caleb, is *shot* in the thigh."—Macon Messenger, May 25, 1837.

"Ranaway Hambleton, *limps* where he was *shot* a few weeks ago, while runaway."—Vicksburg Register, Sept. 5, 1838.

"Sam, *several shots in his left arm and side.*"—Helena Journal, June 1, '33.

"Mose, has a *wound* by *a rifle shot.*"—Southern Sun, August 7, 1838.

"Allen, has *two buck shots in his arm.*"—Vicksburg Register, July 18, 1838.

"Fountain, *shot in the hind parts of his legs.*"—Geo. Messen., July 27, 1837.

"Isaac, has a scar made by *a pistol shot*."—Geo. Journal, March 27, 1837.

"Jim, marked with *shot* in his right thigh."—Macon Messenger, July 27, 1839.

"Stolen, a negro named Winter—the mark of *four or five buck shot* on his legs."—Natchitoches Herald, July 8, 1837.

ADVERTISEMENTS OF SLAVES IN JAIL.—"Committed a negro man, *very badly shot in the right side* and hand."—Milledgeville Journal, May 29, 1838.

"Cuffee, is lame, occasioned *by a shot.*"—Camden, (S. C.) Courier, July 8, 1837.

"Simon, *badly shot* in his back and arm."—Petersburg Intel. May 22, 1838.

"Denis, *shot* in the arm."—R. W. Sizer, in the Grand Gulf Advert., July 8, 1837.

"Elijah, has a scar occasioned by *a shot.*"—Annapolis Repub. April 18, 1837.

The slave Paul had suffered so much in slavery, that he chose to encounter the hardships and perils of a runaway. He exposed himself, in gloomy forests, to cold and starvation, and finally hung himself, that he might not again fall into the hands of his tormentor. [See Ball's Narrative, 2d Edit. p. 325.]

D M	Positions of the Sun, Moon and Stars....Tides, Weather, &c.	
1	Alphard S. 8 37 a.	
2	Low tides.	*Rainy,*
3	Regulus S. 9 9 a.	*with*
4	Alkes S. 9 58 a.	*perhaps*
5	☿ ☊.	*a snow squall*
6	☽ apogee. ♃ ☌ ☽.	*or*
7	Mirach on mer. 9 47 a.	
8	Dubhe on mer. 9 45 a.	
9	☽ eclipsed, visible.	*two.*
10	♀ at greatest brilliancy.	
11	♅ ☌ ☿. Pretty high tides.	
12	♀ rises 3 32 m.	*Some snow*
13	♄ ☌ ☽. ♀ ☌ ♅.	*from*
14	♃ S. 9 16 a.	*eastward.*
15	♄ S. 2 11 m.	*Rather un-*
16	Mirach on mer. 9 14 a.	
17	Dubhe on mer. 9 11 a.	
18	Low tides.	*settled.*
19	Alkes S. 9 2 a.	*An occa-*
20	♅ ☌ ☽. ♀ ☌ ☽.	*sional*
21	Denebola S. 9 54 a.	*shower.*
22	☽ perigee.	*Now expect*
23	♂ ☌ ☽.	*several days of*
24	High tides.	*fine pleasant*
25	☿ greatest elon. E. ☿ ☌ ☽	
26	Zavijava S. 9 26 a.	*April*
27	Algorab S. 10 6 a.	
28	♃ sets 3 1 m.	*weather.*
29	♄ S. 1 17 a.	*Rather*
30	♀ ☋.	*cool.*

it would rather war against His attributes, than deny His being.

How then should Christians regard this *daring libeller* of the God they love? There can be but one answer to this question,—they must *abhor* it. Yes; let this truth be written upon the four walls of every church in these United States,—CHRISTIANS MUST ABHOR SLAVERY, OR RENOUNCE GOD.

———

Reader, you may now excuse yourself from acting, because the slaves are black. Will that excuse avail you when YOUR JUDGE shall own them as HIS BRETHREN?—when he shall say, 'Inasmuch as ye did it not *to one of the least of these,* ye did it not to me.' Will it not be insulting your Creator to his face to urge such a plea? If so, how DARE you use it now?

———

Francis Durret, in the Huntsville (Ala.) Democrat of March 8, 1837, advertises a mulatto slave who had escaped from him, who "had on when he left, a pair of hand-cuffs, a pair of drawing chains," &c.

———

What would you do to redeem yourself from slavery? '*Thou shalt love thy neighbor AS thyself.*'

1550

A ESFERA DO MUNDO

La Sphere du Monde

Com ilustrações da Terra no centro do Sistema Solar, *A Esfera do Mundo* é um livro único da Astronomia

IDIOMA *Francês*

Autoria

ORONCE FINÉ

Ilustrações

ORONCE FINÉ

Publicação 1550

Oronce Finé foi um médico francês do século XVI, professor e autor prolífico nas áreas de matemática, geografia, cartografia e astronomia. Ele não somente fabricava e vendia seus próprios instrumentos como também desenhava mapas, preparava as ilustrações para seus muitos livros e trabalhava como seu próprio editor.

No entanto, as realizações de Finé na história da investigação científica não foram as mais certeiras. Há muito tempo se afirma que Finé era um mero divulgador de princípios científicos delineados por seus professores e predecessores, e que ele havia feito poucas contribuições, se é que havia alguma, ao pensamento científico. Mas uma visão mais compreensiva de Finé surgiu com uma reavaliação do papel principal que ele desempenhou na elevação da matemática.

O manuscrito *A Esfera do Mundo* é um exemplo dos diversos interesses de Oronce Finé. As ilustrações, além do texto, foram produzidas por ele mesmo e publicadas em forma de livro no início de 1550. É possível verificar que, de acordo com Finé, a Terra é posicionada como o centro do Sistema Solar (com a água), seguida pelo ar, o fogo, a Lua, Mercúrio, Vênus, o Sol, Marte, Júpiter, Saturno e, por fim, o Firmamento.

Oronce Finé foi um dos raros geógrafos franceses no Renascimento a ilustrar mapas do mundo.

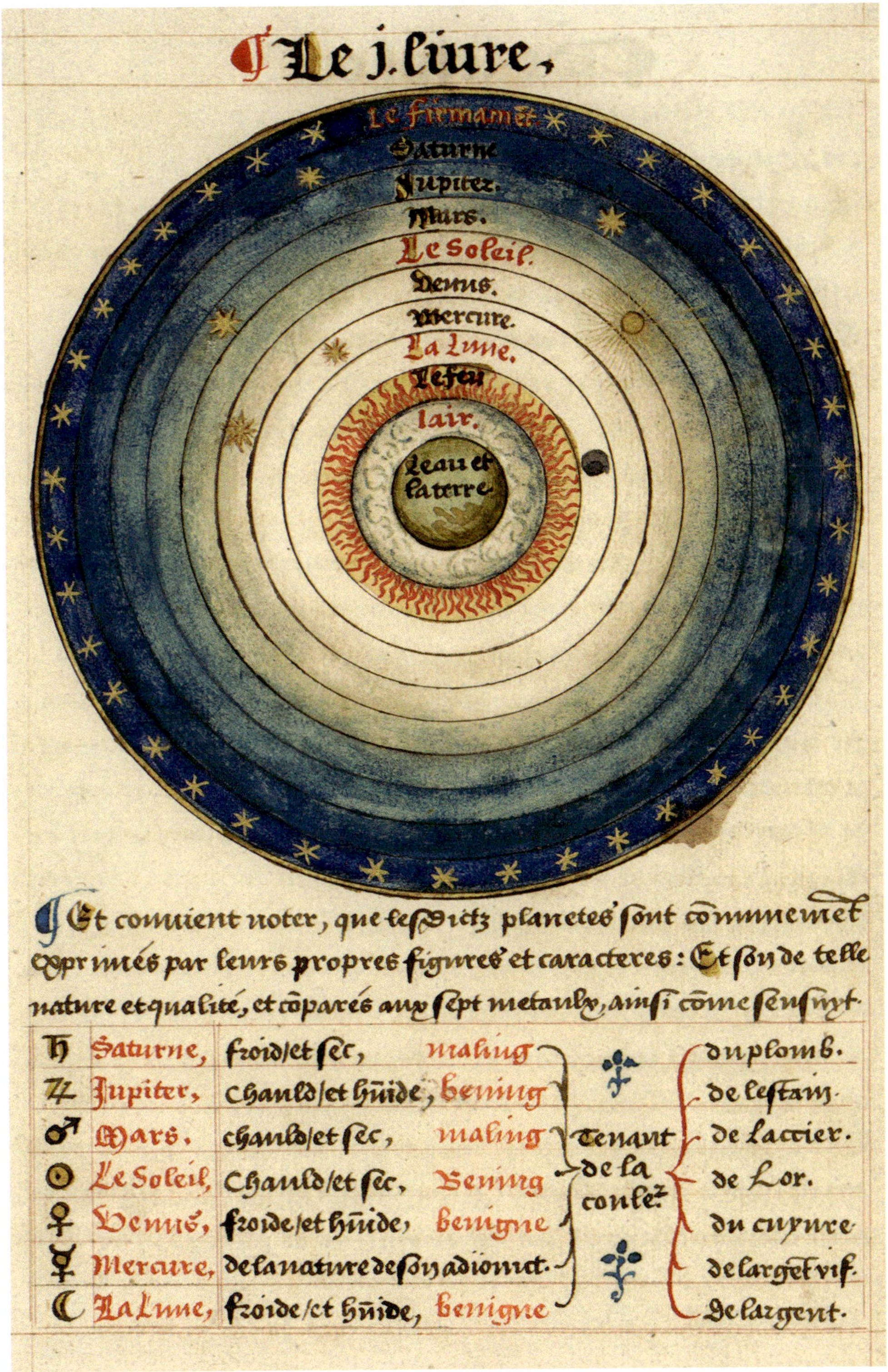
Le j. liure.
Le firmament.
Saturne.
Jupiter.
Mars.
Le Soleil.
Venus.
Mercure.
La Lune.
Le feu
lair.
Leau et la terre.
Et conuient noter, que lesdictz planetes sont communement exprimés par leurs propres figures et caracteres: Et sont de telle nature et qualité, et cōparés aux sept metaulx, ainsi cōme sensuyt.
♄ Saturne, froid/et sec, maling — du plomb.
♃ Jupiter, Chauld/et humide, bening — de lestain.
♂ Mars, chauld/et sec, maling — de lacier.
☉ Le Soleil, Chauld/et sec, Bening — de Lor.
♀ Venus, froide/et humide, benigne — du cuyure
☿ Mercure, de la nature de son adioinct — de largent vif.
☾ La Lune, froide/et humide, benigne — de largent.
Tenant de la couleur

estoilles tant fixes cõme erratiques, enuironnãt rondement ladicte region elementaire. Tellement que les elements diuersement commixtionnés et proportionnés, sont la cause materielle et norriture de toutes choses: Et le ciel par sa lumiere, mouuement, et influence des astres, est cause formelle de leur figure, uariete, et difference specifique, et qui donne la uie. Desquelles deux principales parties du Monde, sensuyt la figure et description uniuerselle.

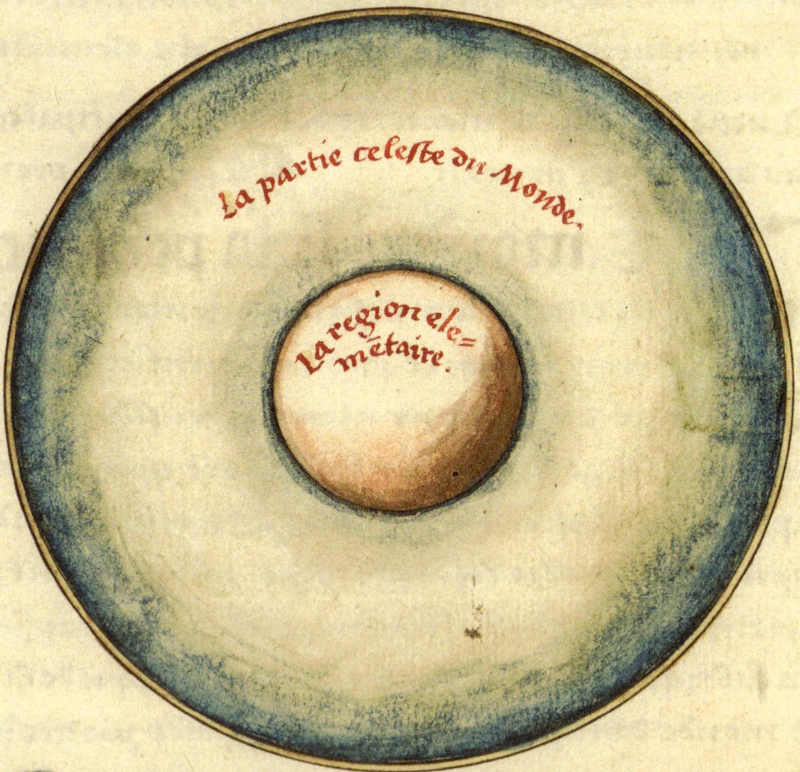

De la region elementaire: et du nombre, situation, et qualite des elements, Chappitre II.

PAr la region elementaire du Monde, conuiẽt entẽdre tout ce qui est comprins dedens la concauite du

Et conuient noter, q dune mesmes ouuerture de cõpas, lon faira tousiours deux paralleles a chascun vent, en variant seulemet la couleur: qui sont 64 traitz dune sorte & mesmes quantite, et dont sensuyt une facilite grande.

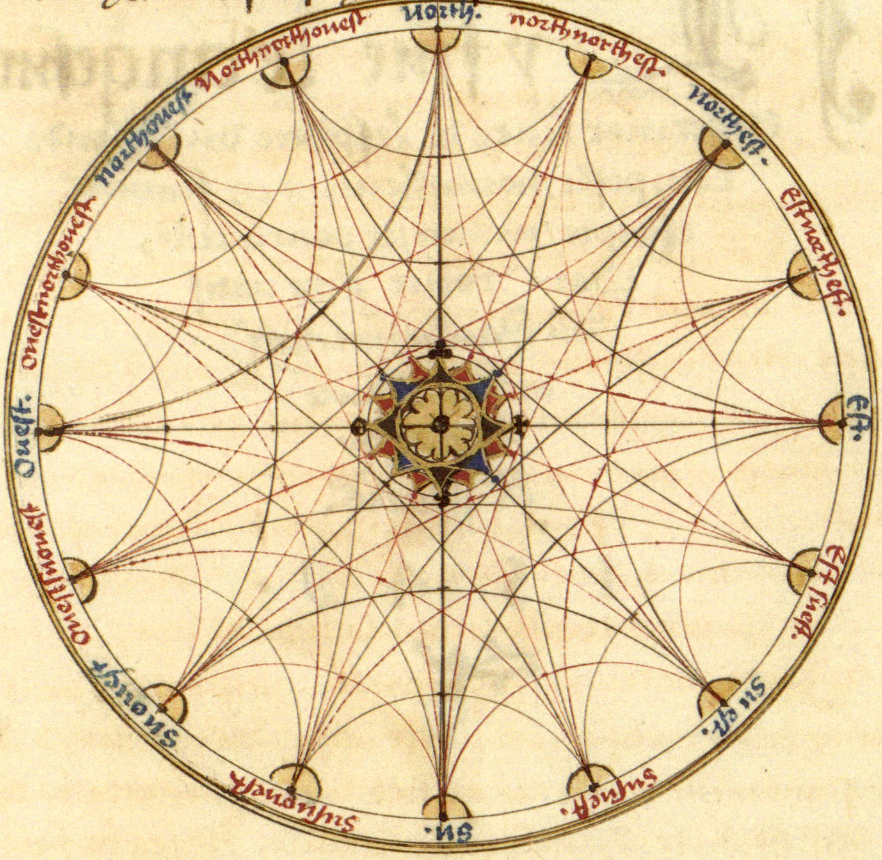

Finablemet, qui vouldroyt comprendre tout le globe terrestre entierement, il faudroyt faire deux figures telles que la precedente: de sorte que lhorizon de lune, touchast lhorizo de laultre. Et seroyt bon de pourtraire les lignes et traitz des ventz, oultre et par dehors less. horizons, ou les finir dedens iceulx, ainsi que bon semblera: pour obseruer le reste, selon lart et usaige des hydrographes ou mariniers.

OS PÁSSAROS DA AMÉRICA

Birds of America

O maior livro do mundo foi um marco na época de sua publicação, com aves em tamanho real

IDIOMA	*Francês*
Autoria	JOHN JAMES AUDUBON
Ilustrações	JOHN JAMES AUDUBON
Publicação	1827

Os *Pássaros da América* é o maior e um dos mais caros livro do mundo, avaliado em US$ 10 milhões de dólares. Medindo 99 centímetros de altura, o livro foi criado por John James Audubon entre 1827 e 1838. Filho ilegítimo de um capitão de mar francês e sua amante, Audubon foi um artista itinerante que viajou pela América desenhando os pássaros que ele amou. A obra era composta de ilustrações em tamanho natural e mostrava todas as espécies conhecidas da América do Norte, por isso algumas aves se encontram em posições estranhas, como o flamingo, de forma a caber na página.

Acredita-se que apenas 120 conjuntos completos de 435 gravuras em tamanho natural d'*Os Pássaros da América* existam hoje. A última edição completa, que subiu para leilão em 2010, foi vendida por 7,3 milhões de libras esterlinas, quebrando o recorde mundial de um único livro. ✤

American Flamingo
PHŒNICOPTERUS RUBER, Linn
Old Male
1. Profile view of Bill at its greatest extension
6. Profile view of Tongue
7. Superior front view of Tongue
8. Inferior front view of Tongue

Snowy Owl, STRIX NYCTEA Linn. Male 1 Female 2

1911

O LIVRO DOS GATOS

Kittens and cats; A First Reader

Um livro de contos recheado de fotos de gatinhos, provando que, antigamente, eles também eram reis dos *memes*

IDIOMA	*Inglês*
Autoria	EULALIE OSGOOD GROVER
Fotos	HARRY WHITTIER FREES
Publicação	1911

Gatos e Gatinhos: um livro de microcontos foi publicado pela primeira vez em 1911. Nele, encontram-se registros deliciosos, ainda que um pouco assustadores, de gatos, acompanhados com uma legenda divertida que conversa com a fotografia. Dentro de suas páginas encontramos "Gato da Rainha", "Gato do Buraco", "Gato da Festa", entre outros.

O livro é atribuído à autora infantil americana Eulalie Osgood Grover, que descreve as imagens do conto da festa da Rainha e de todos os personagens de gatinho presentes. Quanto às fotografias em si, o livro afirma que elas são uma cortesia da Rotograph Company, uma popular fabricante de cartões postais, o que implica que eles são quase certamente um dos primeiros exemplos do trabalho de Harry Whittier Frees, seu fotógrafo de animais. Um dos grandes questionamentos é como Frees conseguiu que seus gatos posassem para tais fotografias sem tantos recursos fotográficos disponíveis naquela época a despeito do que existe hoje em dia. Harry garantiu que utilizou animais vivos e insistiu que apenas métodos humanos tenham sido utilizados.

ON THE WAY TO ST. IVES

I AM THE QUEEN

I AM GRANNY GRAY

I KNOW A SECRET

1861

O LIVRO DE GESTÃO DOMÉSTICA DA SRA. BEETON

Mrs. Beeton book of household management

O manual de gestão doméstica, remédios naturais e receitas mais famoso do período vitoriano

IDIOMA	*Inglês*
Autoria	ISABELLA BEETON
Ilustrações	DESCONHECIDO
Publicação	1861

Embora já tenham se passado mais de 150 anos desde que ela morreu, o nome "Sra. Beeton" é instantaneamente reconhecido em todo o mundo de língua inglesa, graças ao seu *Livro de Gestão Doméstica da Sra. Beeton*, também publicado como *Cookery Book da Sra. Beeton*, que nada mais é do que um extenso guia para administrar uma casa na Inglaterra vitoriana, publicado pela primeira vez como um livro em 1861. Isto porque ele foi lançado em partes inicialmente, recebendo por um breve momento o título de *Livro de Gestão Doméstica de Beeton*, como sendo uma das séries de livros-guia publicados por seu marido, Samuel Beeton.

Sendo assim, o livro demorou cerca de dois anos para ser construído no formato de uma enciclopédia doméstica. Além das receitas, nele havia também conselhos fidedignos sobre quanto pagar aos empregados domésticos, o que responder quando solicitados para jantar e se seria aceitável levá-los consigo em visitas sociais. Um médico também contribuiu com um capítulo sobre doenças e remédios comuns, e um advogado forneceu notas legais sobre assuntos tais quais como fazer um testamento.

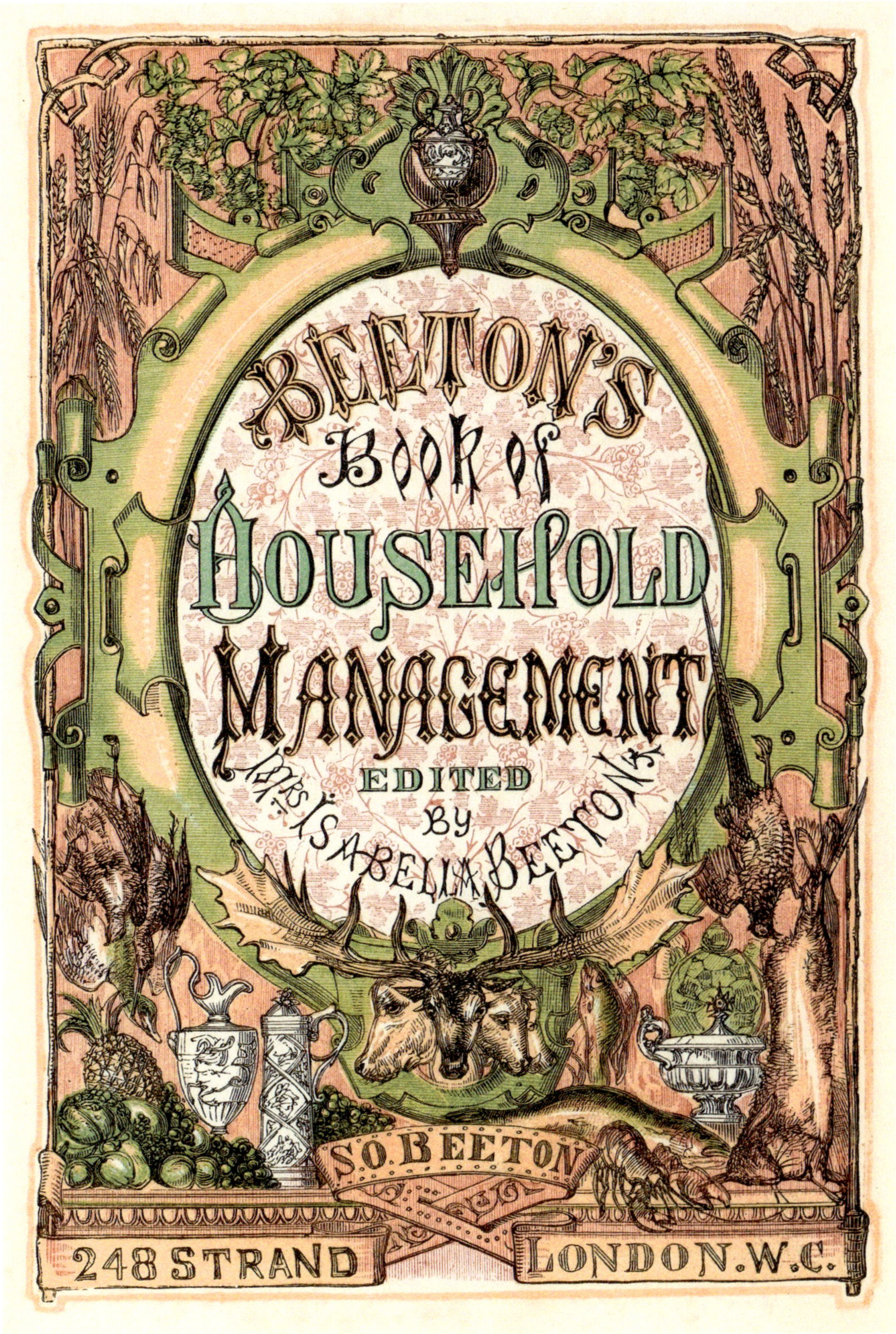
BEETON'S
BOOK OF
HOUSEHOLD
MANAGEMENT
EDITED
BY
MRS ISABELLA BEETON
S.O. BEETON
248 STRAND
LONDON. W.C.

JELLIES, CREAMS and SWEET DISHES.

O livro expandiu-se constantemente, até que em 1907 ele chegou a 74 capítulos e mais de 2000 páginas. Por isso, é uma surpresa saber que Isabella Beeton o escreveu quando tinha apenas 20 e poucos anos, e nenhuma experiência pessoal em como manter a casa.

Isabella levantou todas as receitas de livros clássicos de culinária, através de um intenso trabalho de curadoria. Algumas de suas fontes datam de meados do século XVII, embora ela também copiasse de escritores mais recentes, incluindo a Sra. Raffald e Eliza Acton. Ela foi capaz de fazer isso porque a lei de direitos autorais da época era fraca, e era muito difícil provar a originalidade em uma receita culinária.

Embora a Sra. Beeton tenha falecido em 1865, o livro continuou como best-seller mesmo após sua morte, chegando a vender quase dois milhões de cópias até 1868. As primeiras edições após a sua morte continham um aviso de obituário, mas as edições posteriores permitiram que os leitores imaginassem que cada palavra fosse escrita por uma Sra. Beeton em carne e osso. O significado pessoal de uma "Sra. Beeton" encontrou expressão em um dos romances de Arthur Conan Doyle de 1899, onde um personagem declara: "A Sra. Beeton deve ter sido a melhor dona de casa do mundo, portanto o Sr. Beeton deve ter sido o mais feliz e mais confortável homem". ✤

1865

Ilusões Espectrais

Spectropia; or, Surprising spectral illusions

Ilusões fantasmagóricas na parede dos quartos e salas vitorianas

IDIOMA *Inglês*

Autoria

H. BROWN

Ilustrações

H. BROWN

Publicação 1865

Spectropia é um livro de fantasias vitorianas que permitem ao leitor convocar, como o sub-título proclama, "fantasmas em toda parte". Acompanhando o conjunto de imagens maravilhosamente berrantes, estão instruções sobre como usá-las e uma descrição científica mais detalhada sobre como a ilusão funciona.

O livro toca com um fenômeno óptico conhecido como *afterimage*, no qual os fotorreceptores do olho se adaptam à superestimulação e perdem a sensibilidade, retendo assim a imagem quando não estão mais focalizando nela.

Para ver os espectros, é necessário olhar fixamente para o ponto (ou asterisco), que pode ser encontrado em cada uma das placas, por cerca de 15 segundos. Então, voltando os olhos para o teto ou a parede, e olhando firmemente para qualquer ponto dela, o espectro logo começará a fazer sua aparição, aumentando em intensidade até gradualmente desaparecer.

XI

Designed by J. H. Brown, and Published Dec.r 19th 1863, by Griffith & Farran, St. Paul's Church Yard, London.

III

I

Designed by J. H. Brown, and Published Dec.r 19th 1863, by Griffith & Farran, St Paul's Church Yard, London.

1537

DISSECAÇÕES DE CABEÇAS

Anatomiae, hoc est, corporis humani dissectionis pars prior

O primeiro livro significativo sobre cirurgias na cabeça leva um ar de terror rústico

IDIOMA	*Alemão*
Autoria	JOHANN DRYANDER
Ilustrações	JOHANN DRYANDER
Publicação	1537

Dryander, médico, anatomista, matemático e astrônomo alemão, foi um dos primeiros anatomistas que ilustravam suas próprias dissecações. Muitos ilustradores da época utilizavam outros materiais como guia, mas *Anatomiae* foi criado através da observação em vida real dos mortos.

O trabalho contém 20 gravuras, sendo 16 da cabeça e cérebro, e as últimas quatro do peitoral e pulmões.

Ele é autor de outros 17 livros e conhecido por ter performado a primeira autópsia científica na cidade de Hesse, na Alemanha. ✤

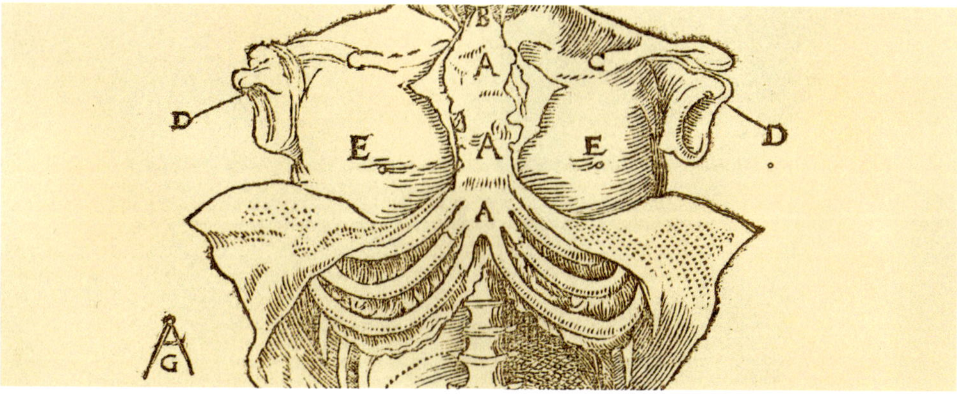

Vniuersalis figura omnium partium capitis humani cum sua explicatione.

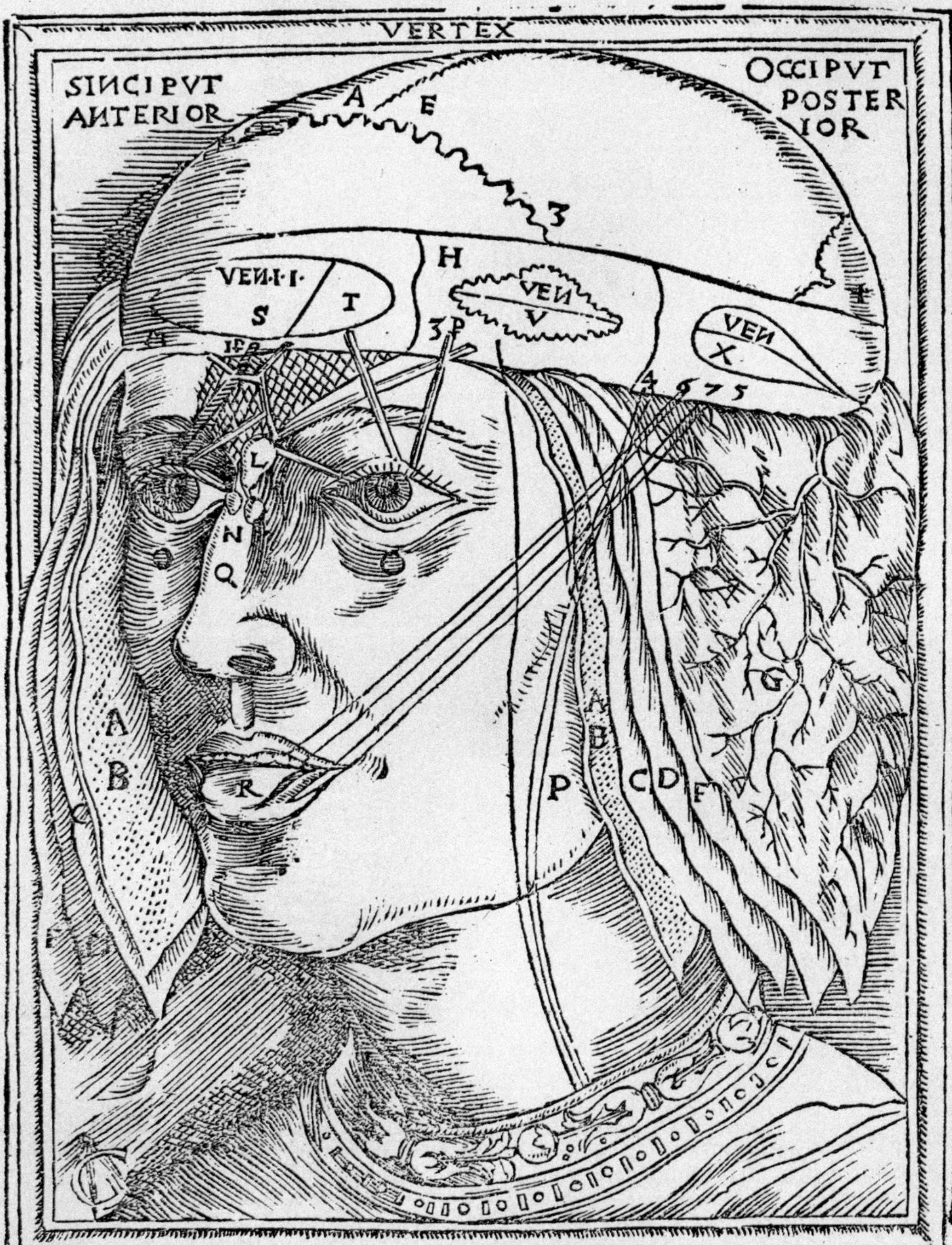

HVMANI CAPITIS, FIGVRA VNDECIMA.

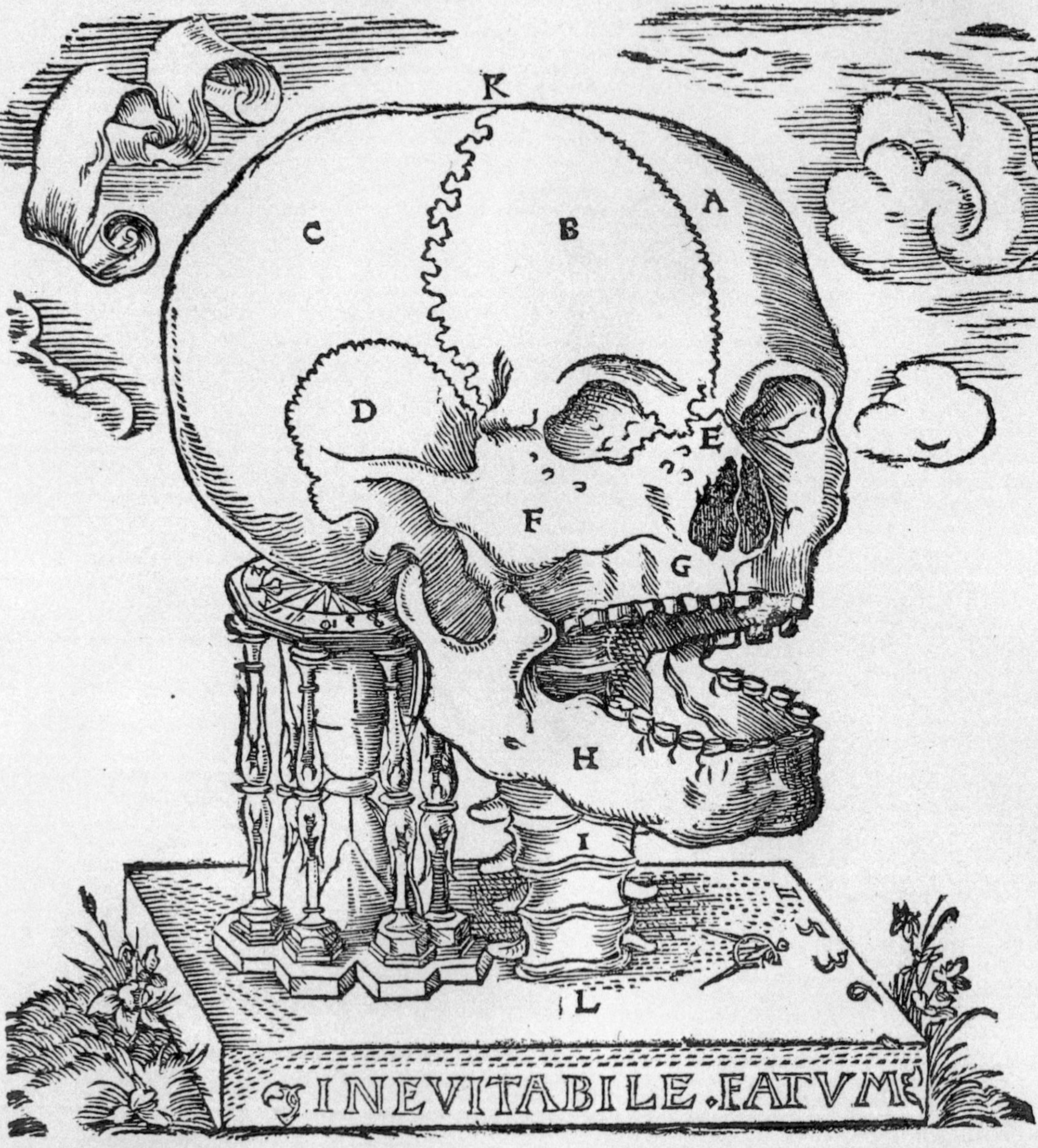

g

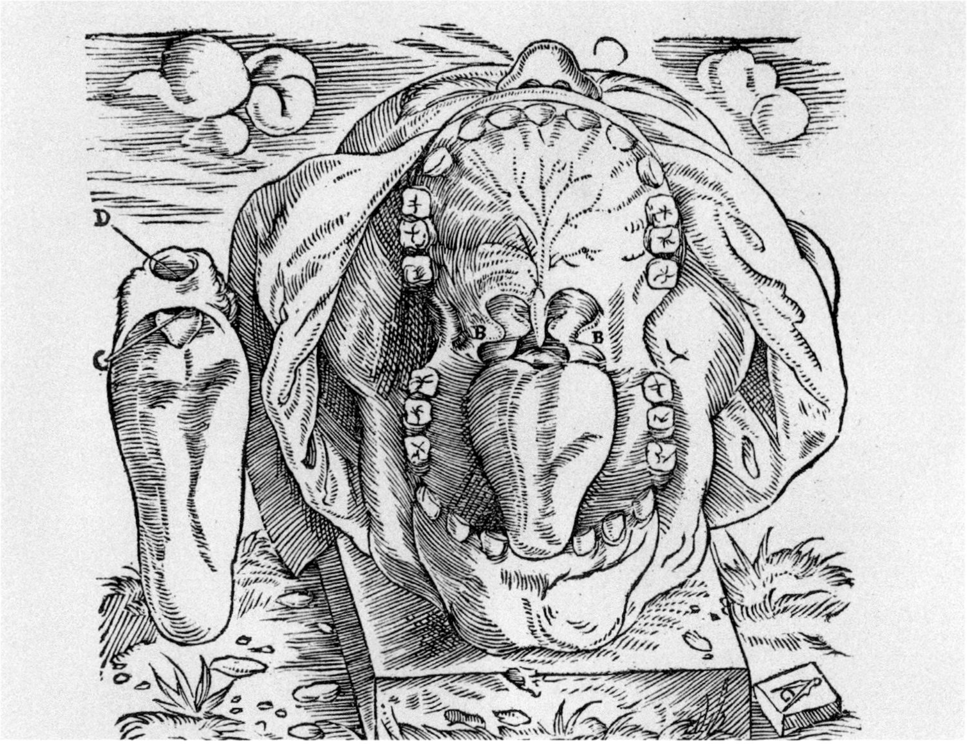

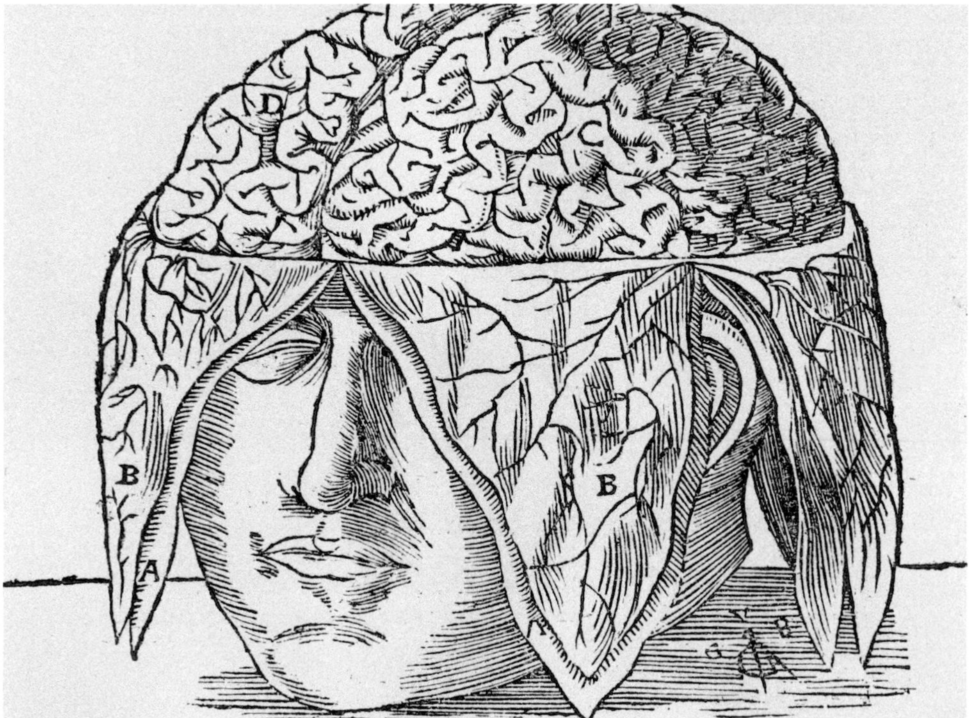

1844

Um Outro Mundo

Un Autre Monde

Surreais inversões oníricas e objetos antropomórficos são a estrela deste livro ilustrado pelo francês que inspirou o movimento surrealista

IDIOMA *Francês*

Autoria

J. J. GRANDVILLE

Ilustrações

J. J. GRANDVILLE

Publicação 1844

U*m outro Mundo* é um livro ilustrado pelo francês Grandville e publicado em 1844, com texto anônimo de Taxile Delord sob direcionamento de Grandville. O texto foi criado após as imagens para ser publicado como um livro completo e descreve um mundo paralelo observado por três demiurgos de nome Dr. Krackq, Dr. Puff e Dr. Hahblle.

Grandville envia os demiurgos em excursões através do espaço-tempo nas quais eles fazem as mais incríveis observações, descrevendo as pessoas deste outro mundo e seus costumes. A fantástica metamorfose de plantas, animais e humanos tornou seu trabalho pré-surrealista, já que o termo foi criado após sua morte.

A criação do *Outro Mundo* foi criativamente retorcida e rearranjada de forma bem-humorada e sendo um deleite para todos os tipos de audiências, até as mais exigentes, já que existem diversas analogias com o mundo real.

O trabalho dos artistas gráficos, na época, era quase sempre colaborativo e comissionado, e muitas vezes os ilustradores morriam no anonimato. Porém, J. J. Grandville tinha um traço tão característico que fez, além de ilustrações para livros como *Don Quixote*, *Robinson Crusoé* e *As Viagens*

PÉRÉGRINATIONS D'UNE COMÈTE.

laient *culmen*, un aérolithe, connu par les savants sous

le nom de *croix d'honneur*, passa à quelques lignes de sa tête; si l'inclinaison de son front, à gauche, eût été un peu plus sensible, c'en était fait de lui. Malheur au mortel sur la tête duquel l'aérolithe a opéré sa descente!

de Gulliver, livros que praticamente eram vendidos exclusivamente pelas ilustrações, não sendo estas coadjuvantes como normalmente.

São 34 capítulos e mais de 180 ilustrações enigmáticas em quase 400 páginas de *Un Autre Monde*.

Sua arte é comentada por diversos filósofos com diferentes visões sobre a obra.

SYSTÈME DE FOURIER.

le courant atmosphérique se mit à l'amble, de sorte que notre voyageur put examiner tout à son aise les objets qui l'entouraient. La trois cent trente-trois millième pile était appuyée sur Saturne. Hahblle put se convaincre alors que l'anneau de cette planète n'était autre chose qu'un balcon circulaire sur lequel les Saturniens viennent le soir prendre le frais.

A l'autre extrémité du pont le courant reprit son essor, et entraîna Hahblle vers des régions plus élevées encore. La mécanique céleste lui fut entièrement dévoilée, grâce à la négligence de son propriétaire, qui ce jour-là avait oublié de fermer ses persiennes de nuages. Ce propriétaire était un vieux magicien qui insufflait des globules de savon et les lançait ensuite dans l'infini. Affaibli sans

1794

O LIVRO DE URIZEN

The Book of Urizen

Visões distópicas do Gênesis em ilustrações enigmáticas

IDIOMA	*Inglês*
Autoria	WILLIAM BLAKE
Ilustrações	WILLIAM BLAKE
Publicação	1794

O *Livro de Urizen* é um dos principais livros proféticos do escritor inglês William Blake, e foi publicado pela primeira vez em 1794. O nome Urizen advém da própria mitologia do autor, que trabalhou para codificar suas ideias espirituais e políticas em uma profecia para uma nova era, e representa a razão alienada como a fonte da opressão. O livro descreve Urizen como um "padre primitivo" e conta como ele se separou dos outros para criar seu próprio reino alienado e escravizador do dogma religioso. A obra é uma versão esotérica, enigmática e complexa do Gênesis.

William Blake nasceu em 1757 e morreu em Londres no ano de 1827, recebendo pouco ou quase nenhum reconhecimento por seus esforços durante sua vida. Muitos o julgaram como louco, mas assim como Edgar Allan Poe, ele estava à frente de seu tempo e não teve medo de ser diferente em sua expressão de existência. ✤

To the desarts and rocks he ra
To hide, but he could not; comb
he dug mountains & hills in vast st
he piled them in incessant labour
In howlings & pangs & fierce mad
Long periods in burning fires labo
Till hoary, and age-broke, and age
In despair and the shadows of dea
7. And a roof vast petrific around,
On all sides he fram'd: like a wo
Where thousands of rivers in veins
Of blood pour down the mountains to
The eternal fires beating without
From Eternals; & like a black glo
View'd by sons of Eternity, standing
On the shore of the infinite ocean
Like a human heart strugling & bea
The vast world of Urizen appear
8. And Los round the dark globe
Urizen,
Kept watch for Eternals to confine
The obscure separation alone;
For Eternity stood wide apart,
over the dark desarts of Urizen
pour thro' the void on all sides
darkness
fierce anguish & quenchless

Conglobing, Trembling
out ten thousand branches
his solid bones.
a second Age passed over,
a state of dismal woe.
harrowing fear rolling round;
nervous brain shot branches
the branches of his heart
into two little orbs
fixed in two little caves
9. The pangs of hope be
In heavy pain striving, st
Two Ears in close volutio
From beneath his orbs a
Shot spiring out, and pe
As they grew. And a fourth
And a state of dismal w
10. In ghastly torment su
Hanging upon the wind,

Urizen C: V.

Two Nostrils bent down to the deep.
And a fifth Age passed over;
And a state of dismal woe.

11. In ghastly torment sick;
Within his ribs bloated round.
A craving Hungry Cavern;
Thence arose his channeld Throat.
And like a red flame a Tongue
Of thirst & of hunger appeard.
And a sixth Age passed over:
And a state of dismal woe.

12. Enraged & stifled with torment
He threw his right Arm to the north
His left Arm to the south
Shooting out in anguish deep.
And his Feet stampd the nether Abyss

In trembling & howling & dismay.
And a seventh Age passed over:
And a state of dismal woe.

Chap: V.

1. In terrors Los shrunk from his task:
His great hammer fell from his hand:
His fires beheld, and sickening,
Hid their strong limbs in smoke.
For with noises ruinous loud;
With hurtlings & clashings & groans
The Immortal endur'd his chains,
Tho' bound in a deadly sleep.

2. All the myriads of Eternity:
All the wisdom & joy of life:
Roll like a sea around him,
Except what his little orbs
Of sight by degrees unfold.

3. And now his eternal life
Like a dream was obliterated

4. Shuddring, the Eternal Prophet smote
With a stroke, from his north to south region
The bellows & hammer are silent now
A nerveless silence, his prophetic voice
Siez'd; a cold solitude & dark void
The Eternal Prophet & Urizen clos'd

5. Ages on ages rolld over them
Cut off from life & light frozen
Into horrible forms of deformity
Los suffer'd his fires to decay
Then he look'd back with anxious desire
But the space undivided by existence
Struck horror into his soul.

6. Los wept obscur'd with mourning:
His bosom earthquak'd with sighs;
He saw Urizen deadly black,
In his chains bound, & Pity began,

7. In anguish dividing & dividing
For pity divides the soul
In pangs eternity on eternity
Life in cataracts pourd down his cliffs
The void shrunk the lymph into Nerves
Wandring wide on the bosom of night
And left a round globe of blood
Trembling upon the Void

12

1583

TRABALHOS OCULARES

Ophthalmodouleia Das ist Augendienst

O primeiro manuscrito renascentista de doenças oftalmológicas é um terror para quem tem medo de cirurgias

Escrito pelo médico alemão Georg Bartisch em 1583, considerado o pai da oftalmologia moderna, o livro contém 92 ilustrações sobre diferentes doenças oculares. As técnicas de cirurgias e instrumentos, diferentes de muitos livros da época, foram escritas em alemão, não em latim - como era comum para a maioria das publicações do gênero.

Embora Bartisch fosse um cientista, também acreditava em magia e astrologia como formas de curar um paciente.

IDIOMA *Alemão*

Autoria

GEORG BARTISCH

Ilustrações

DESCONHECIDO

Publicação 1583

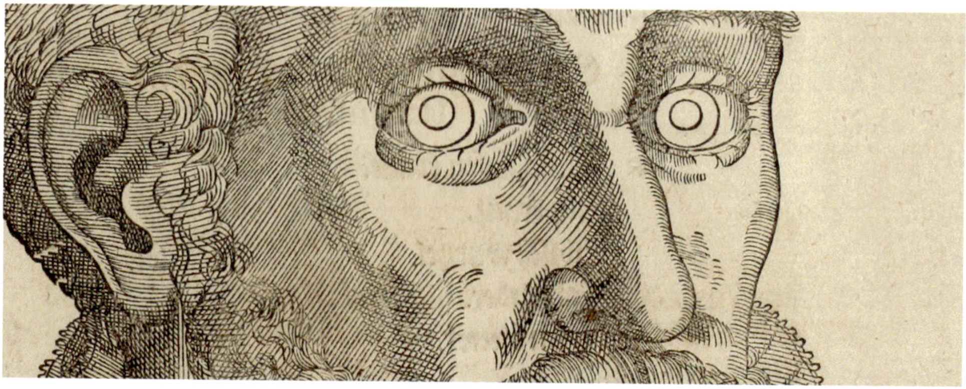

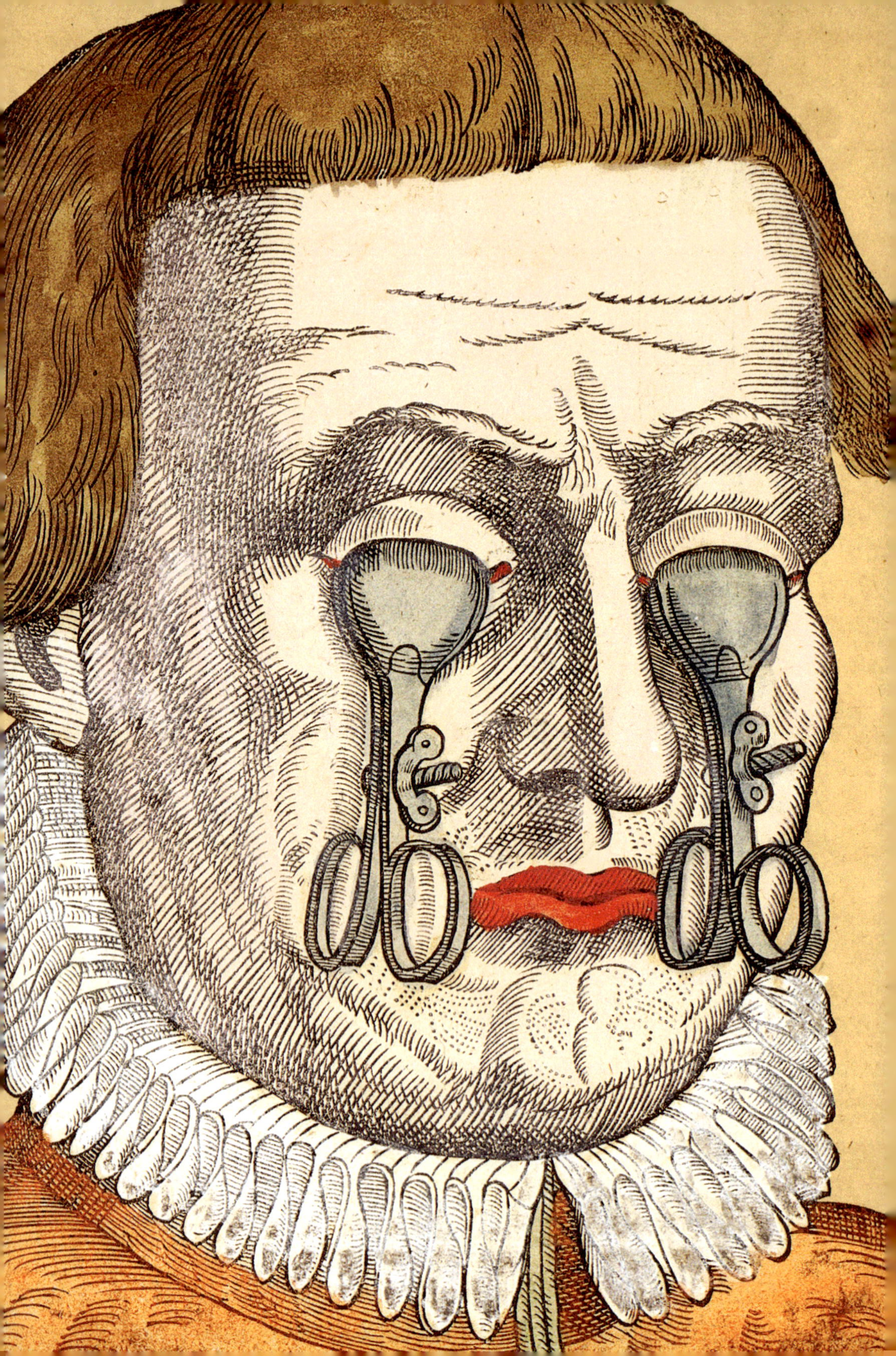

vnd langen Lieden der Augen. 179

Folget erstlich die Augenschein-
liche Figur/der schweren vnd langen
Augenliede.

Zum

Staren vnd Hirnfelle künstlich wircken sol. 63

Halt die Nadel ja gewiß im eindrehen / vnd gieb mit fleis achtung darauff / das du mit der spitze der Nadel jmmer nach der mitte des Auges gegen der Vuea zukommest / vnd nicht etwan auff

L iij eine seite

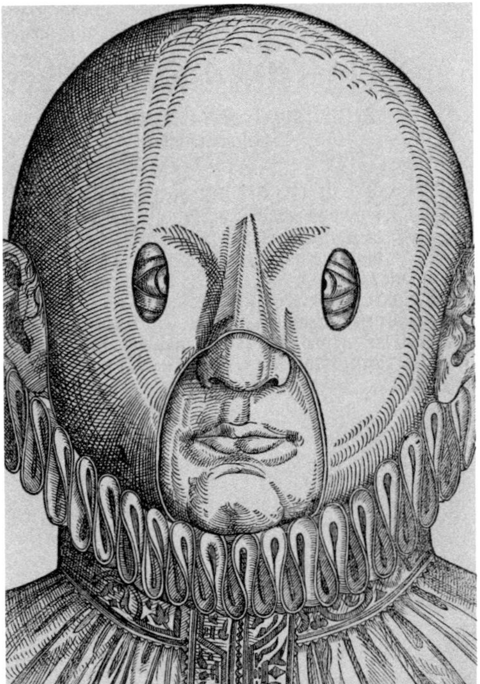

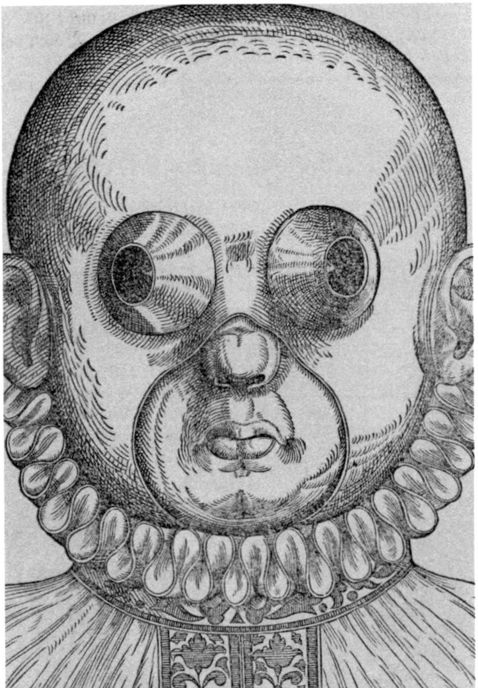

1553

CRIATURAS AQUÁTICAS

De Aquatilibus

Seres aquáticos ilustrados de forma muito inédita em um livro horizontal de 1553

IDIOMA	*Latim*
Autoria	PIERRE BELON
Ilustrações	PIERRE BELON
Publicação	1553

Pierre Belon foi um físico, viajante, escritor, artista e naturalista que ficou famoso por ter difundido o fenômeno da homologia (que é a existência de ancestralidade compartilhada em pares de estruturas e genes) em anatomia comparativa. Escreveu livros e artigos sobre ornitologia, botânica, anatomia, arquitetura, egiptologia e ictiologia (estudo de peixes).

De Aquatilibus foi um avanço na área de estudo de peixes, pois as imagens e descrições detalhadas, além de classificações de 110 peixes, são simples e fáceis de entender.

Seus agrupamentos por tipos de peixes, ou seres marítimos, foram feitos quase que puramente por instinto, e os detalhes são corretos em questão de anatomia interna destes animais.

As imagens são curiosas e diferentes, mas Belon foi também um excelente biólogo em sua época. Morreu assassinado misteriosamente em Paris, numa noite de abril de 1564, quando chegava em Bois de Boulogne.

DE AQVATILIBV: LIB. I.
39
Pictura piscis Monachi.
monk Fish
C.iiii.

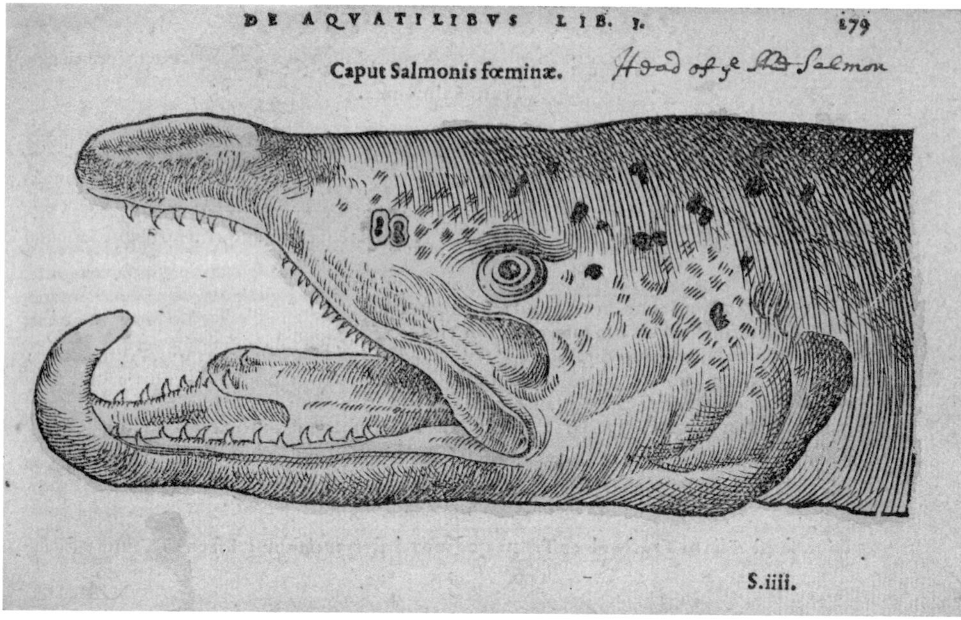
DE AQVATILIBVS LIB. I. 179
Caput Salmonis fœminæ.
Head of ye [illegible] Salmon
S.iiii.

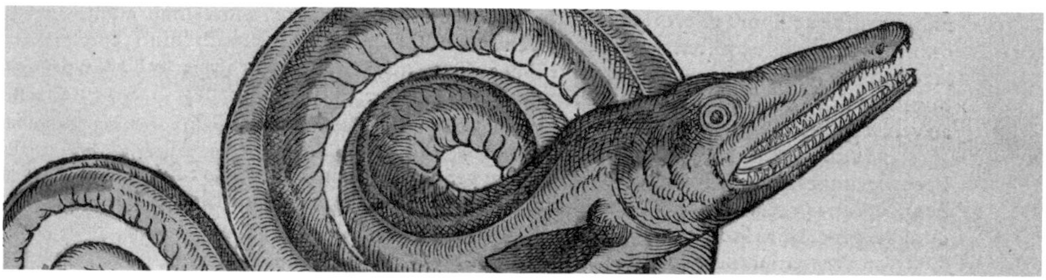

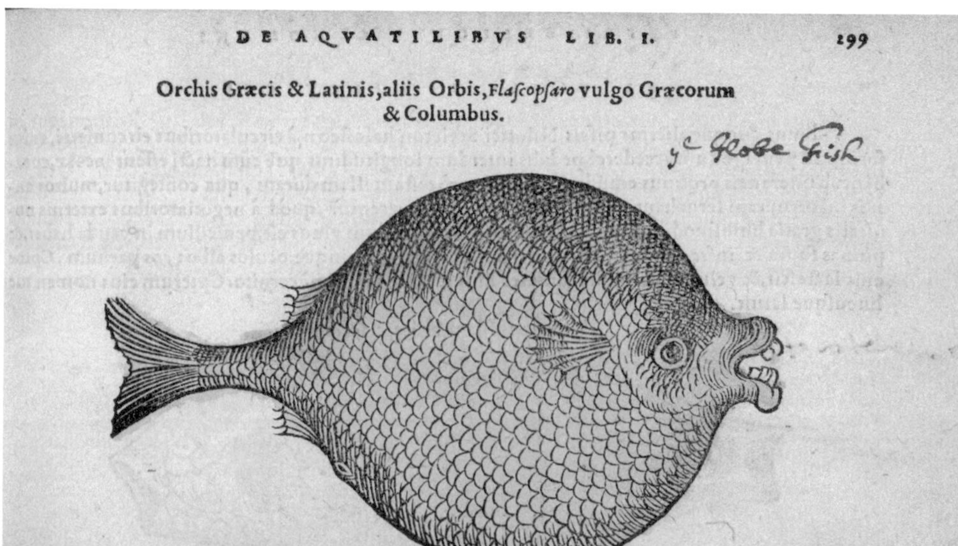
DE AQVATILIBVS LIB. I. 199
Orchis Græcis & Latinis, aliis Orbis, Flascopsaro vulgo Græcorum & Columbus.
ye Globe Fish

331 PETRI BELLONII CENOMANI
Πολύπους Græcis, Octopos vulgo Græco,
Pourpre Gallis.
Polypus so called from its many feet

DE AQVATILIBVS LIB. I. 27
Fabulosus equus Neptuni.

1557

Crônicas de Criaturas e Presságios

Prodigiorum ac ostentorum chronicon

Um bestiário de criaturas reais e imaginárias com quase 700 páginas ilustradas

IDIOMA	*Latim*
Autoria	CONRAD LYCOSTHENES
Ilustrações	DESCONHECIDO
Publicação	1557

Um dos livros mais estranhos do mundo, o bestiário *Prodigiorum Ac Ostentorum Chronicon* é um verdadeiro almanaque de bestas e criaturas lendárias, criado por Conrad Lycosthenes em 1557. Nas páginas de ilustrações ricas em detalhes, concentra-se a coleção de criaturas que vários viajantes da época tiveram a oportunidade de descobrir e conhecer. O mais misterioso sobre este livro, no entanto, é como Lycosthenes descreve, com precisão, alguns dos animais dos quais dificilmente se poderia ter uma aproximação humana, a fim de colher dados mais precisos e detalhados, como o alce canadense, rinoceronte, elefante ou babuíno preto, da África do Sul.

Além destes, especialistas também incluem descrições do crocodilo, do pelicano e – o mais impressionante de tudo – do Dodô da Ilha de Maurício, pássaro que foi descoberto oficialmente em 1598, ou seja, mais de 40 anos depois da publicação do bestiário, e que atualmente está extinto. Seu livro inspirou obras futuras como *Monstrorum Historia*. ✤

IN Saxonię syluis uersus Daciã, in deserto muricæ (nemore) 1240
quędã animalia capta sunt monstrosa, ferè in omnib. habentia figurã hominis. Ex qb. fœmina quidẽ mortua est canũ morsibus ac uenatorũ uulneribus. Masculus aũt captus est domesticus, sup pedes interdũ erectus gradiẽs. Didicit loq impfectè ualde & non multa uerba, habuit uocẽ exilẽ sicut capreolus. Rationẽ nullã habuit, de secessu & egestione ac aliĳs talib. uerecundabat. Appetĳt autem coire cũ mulieribus, & has publicè qualescunq; essent, tempore libidinis opprimere tentauit. Albertus Magnus & ex eodem Gesnerus libro 1. historiæ animalium de quadrupedibus.

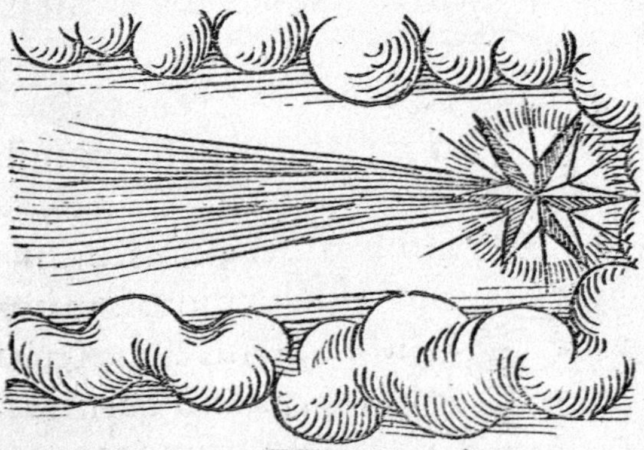

IN Saxonia uisus est Cometa iuxta polũ septentrionalẽ, qui suos proĳciebat radios inter orientẽ & meridiem, magis dirigendo eos ad orientẽ. Sequenti anno Tartarorum rex in Polonia magno exercitu incursione facta, igne & cæde omnia cõplet. Postea per Morauiã in Vngariã iter capiens eam tribus annis miserè afflixit.

pellibus. Agricultores sunt: magnum illis est bellum cum gryphis, ita ut utrinqꝫ ingens numerus pereat. Eorum mulieres sunt illis similes, sed barbulas non habent, & rostrum latius gerunt. Vinum non bibunt: qui in bello cadunt, habentur ut sancti, & eorum uxores non amplius sunt alijs uiris conspicabiles.

SVper insulis quibusdam Caspij maris tales reperiuntur leones. Humana sunt facie, sed syluestres & feroces: ex raptu uiuunt, & supra atque sub aquis æquè natant ut pisces. Horum plerique historici meminere, ac Solinus præsertim de mundi mirabilibus.

IN Lybię desertis repertę sunt mulieres quę ad genua usqꝫ ꝑmissas habēt mā millas: usu carent loquēdi, sed tamen uehementer clamant uel stridēt: domesticē uersantur cum uiris: uelociter currunt, ita ut cursu syluestria capiāt animalia qb. uescant̄: inter albū & nigrū calorē sunt, nēpe fusci coloris uel subnigri: carent pilis, nisi

Anno Domini. 670

nisi quòd à genubus infra Satyris similes sunt, unguibus manuū fortes ac rapaces sunt, caput crinibus abundat, deformi sunt corpore ac facie, rident libenter, præsertim in uirorum præsentia.

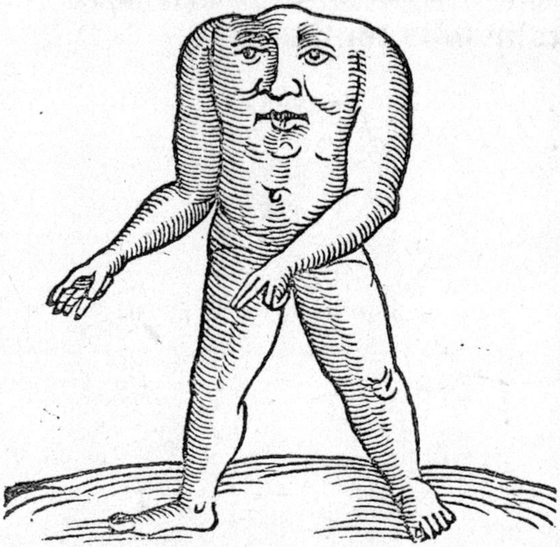

IN Asiæ syluis sunt tales, appellati Monopoli. Capite carent, sed faciē habēt in pectore, incedunt nudi, solis pudēdis uelo tectis, caput integunt maximo pileo, propter ingentem solis calorem. Colligunt hi piper, & illud Mechæ mercatoribus ex uariarum mercium permutatione diuendunt, quas deinde merces ipsi Antipodibus distribuunt. Sunt ualde continentes & modesti homines, neque unquam uerbum malum proferre audiuntur, syncerissimi sunt, & bona præditi conscientia iuxta eorum legem.

IN Lybiæ Alpibus hęc monstruosa animalia reperiũtur. Ex toto flaua seu gilua sunt, facies humana in pectore, crura sunt bouina, pedes humani, cauda uulpina, mãmę caprinæ, dorsum instar camelorū, collū longum, in cuius summitate nō caput, sed tumorē in modū nattæ cū duab. porcinis aurib. habēt. Hircina sunt barba, uiuunt ex herbis & radicibus, & admodum syluestres sunt. Dū parui sunt, his commodè uescunt̄ homines, quibus Magnus Canis utitur, at cum grandæui, durissimæ sunt concoctionis, ideò iuuenculi sunt uescendi, illic hi meliores sunt, quàm apud nos hœdi.

FINIS.

1506

CÓDICE LEICESTER

Codex Leicester

O manuscrito mais caro do mundo, escrito e ilustrado por Leonardo Da Vinci

Codex Leicester ou *Códice Hammer* refere-se a um dos mais famosos manuscritos de Leonardo Da Vinci. O manuscrito, de 72 páginas e com mais de 300 ilustrações, foi elaborado por Da Vinci entre 1506 e 1508, em Florença e Milão, com alguns incrementos em 1510. O livro contém ideias originais e muito avançadas principalmente sobre hidrodinâmica, mas também sobre cosmologia, astronomia, geologia, geografia, paleontologia e mecânica.

IDIOMA *Italiano*

Autoria

LEONARDO DA VINCI

Ilustrações

LEONARDO DA VINCI

Publicação 1506

Algumas das escrituras apresentam textos autobiográficos e histórias de viagens apoiados por excelentes ilustrações e desenhos. Das 30 publicações científicas de Leonardo, o *Codex* é considerada a mais famosa de todas. Da Vinci utilizava um espelho para preservar o segredo do conteúdo.

O manuscrito, conservado no Museu Britânico de Londres, apresenta-se na forma de 18 folhas duplas ou em 72 páginas no formato de 21,8 x 29,5 centímetros. O seu conteúdo é uma extraordinária representação da relação entre arte e ciência, bem como da criatividade no processo científico.

O códice é considerado o livro mais caro do mundo, estimado em 29 milhões de Euros e vendido a Bill Gates em 1994.

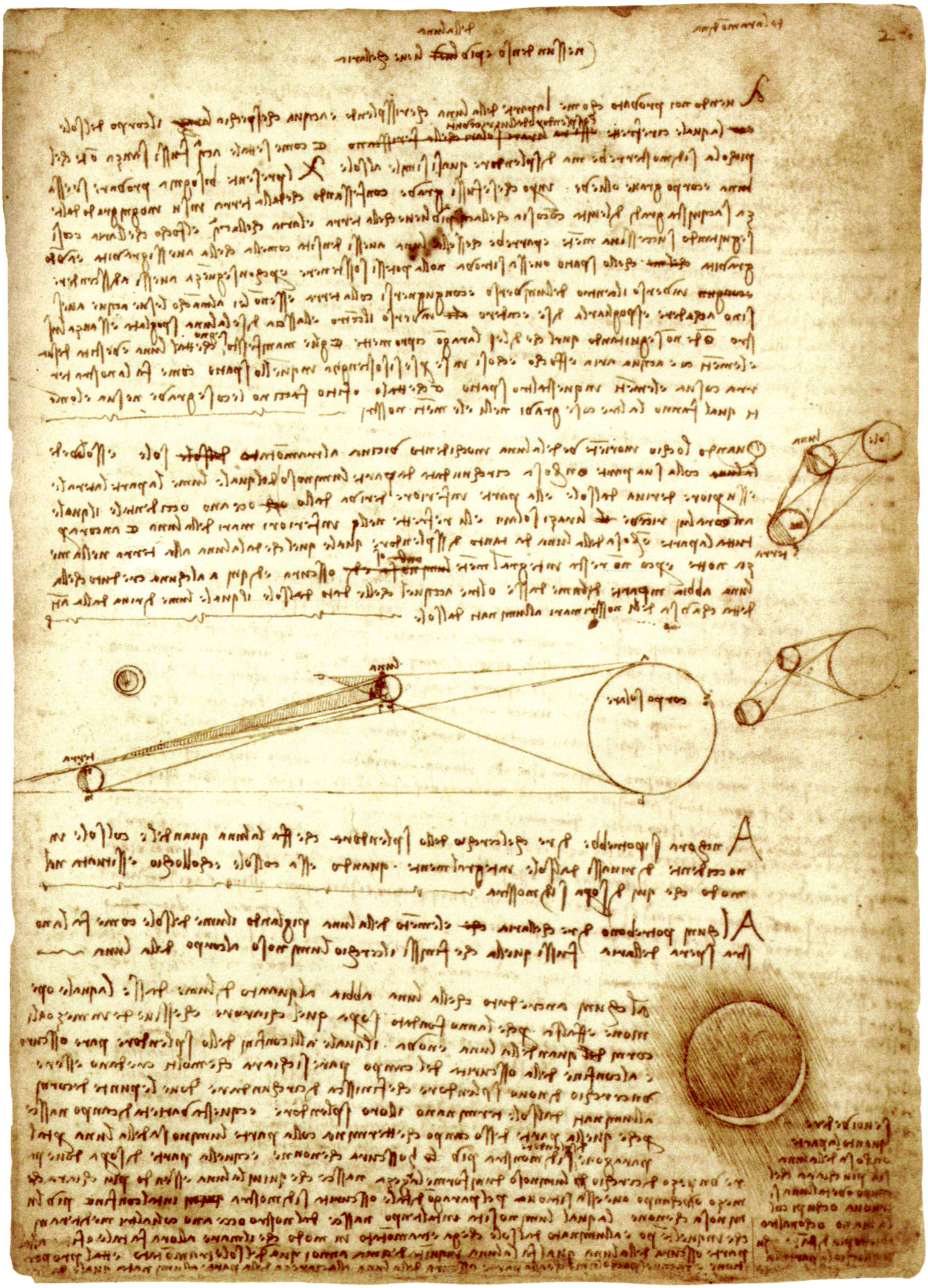

1917

MULHERES NÃO DEVEM VOTAR?

This Little Book Contains Every Reason Why Women Should Not Vote

Um cômico livreto que lista todos os motivos pelos quais uma mulher não deveria votar nas eleições

IDIOMA *Inglês*

Autoria

VÁRIOS AUTORES

Publicação 1917

Hoje, graças a milhares de mulheres e homens do passado, nos é permitido o voto feminino nas eleições. Antigamente, porém, e antes do Sufrágio Feminino, as mulheres não tinham voz.

Este pequeno livro, sem qualquer palavra escrita e com a intenção cômica mas educativa, de demonstrar que uma mulher não tem motivos para ser afastada do seu direito básico de votar, foi criado em 1917 pelo *National Woman Suffrage Publishing Co.*, um braço da Associação do Sufrágio Feminino.

O livro nasceu em meio a diversas manifestações pelos direitos do voto nos Estados Unidos e foi acompanhado por outras obras com o mesmo propósito educativo, como guias e obras nichadas, focando grupos específicos de mulheres.

Dois anos após a publicação deste livro, e com outras inúmeras forças reunidas, o direito feminino de votar nas eleições norte-americanas venceu. Outros países, pouco a pouco, seguiram o exemplo.

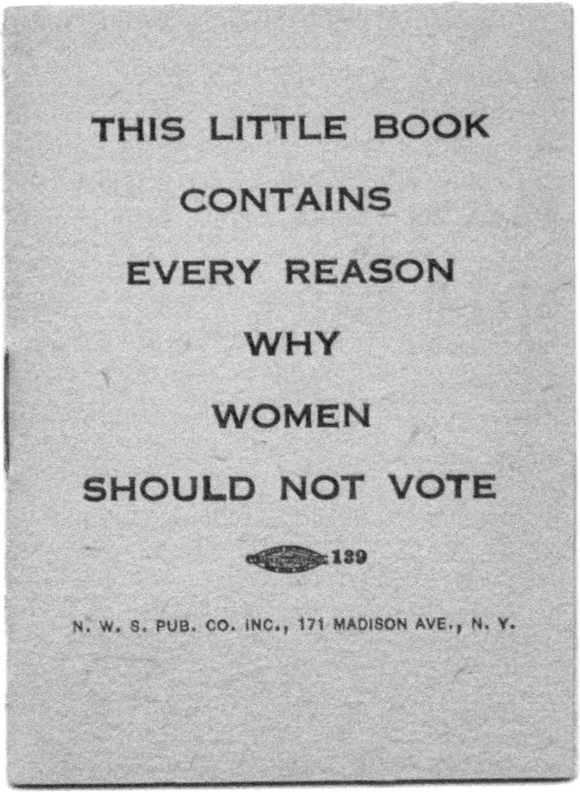
THIS LITTLE BOOK
CONTAINS
EVERY REASON
WHY
WOMEN
SHOULD NOT VOTE
139
N. W. S. PUB. CO. INC., 171 MADISON AVE., N. Y.

1904

FORMAS DE ARTE NA NATUREZA

Kunstformen der Natur

A beleza simétrica da natureza em litografias famosas por Ernst Haeckel

IDIOMA *Alemão*

Autoria

ERNST HAECKEL

Ilustrações

ERNST HAECKEL

Publicação 1904

Kunstformen der Natur é um belíssimo livro consistido por 100 litografias de vários organismos, muitos dos quais foram descritos pela primeira vez pelo próprio autor, Haeckel. Ao longo de sua carreira, mais de 1000 gravuras foram produzidas com base em seus esboços e aquarelas, mas apenas as melhores foram selecionadas para o livro.

De acordo com o estudioso de Haeckel, Olaf Breidbach, o trabalho era "não apenas um livro de ilustrações, mas também a soma de sua visão do mundo". Os temas mais importantes das placas *Kunstformen* são simetria e nível de organização. O *Kunstformen der Natur* foi influente na arte, arquitetura e design do início do século XX, fazendo a ponte entre a ciência e a arte. Graças às suas linhas sinuosas e tendência a idealizar a natureza, muitos artistas associados à Art Nouveau foram influenciados pelas imagens de Haeckel, incluindo René Binet, Karl Blossfeldt, Hans Christiansen e Émile Gallé.

8

Haeckel, Kunstformen der Natur. Tafel 54 — *Octopus.*

Gamochonia. — Trichterkraken.

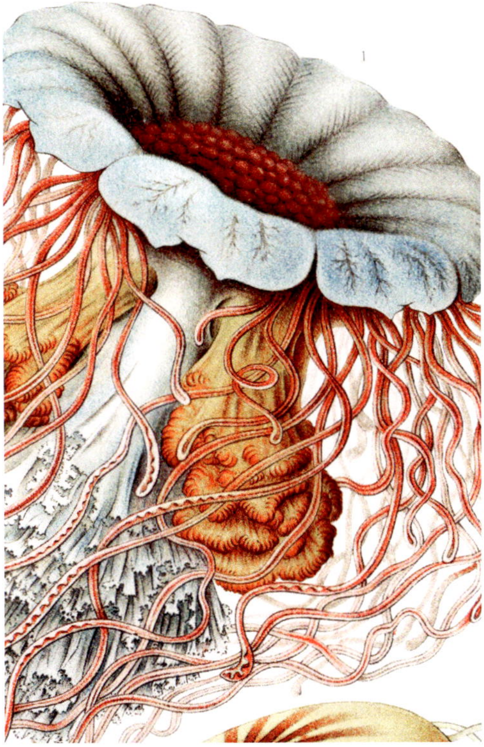

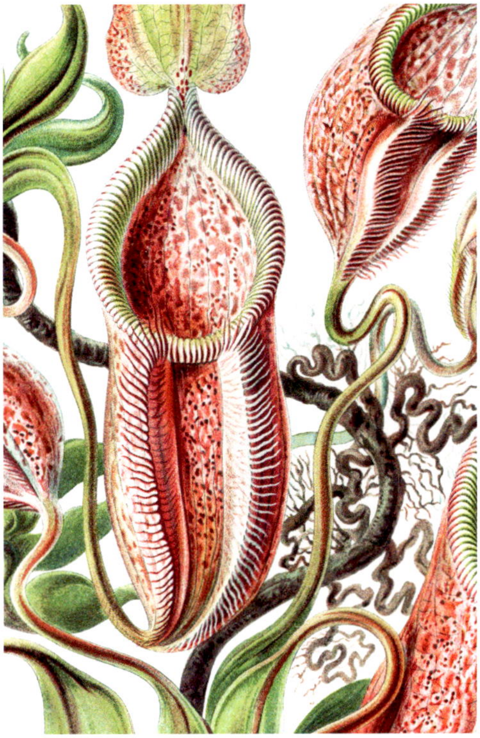

1818

DICIONÁRIO INFERNAL

Dictionnaire infernal

Criaturas das trevas, demônios e seres de diversas religiões se encontram em ilustrações únicas para um completo dicionário

IDIOMA	*Francês*
Autoria	COLLIN DE PLANCY
Ilustrações	M. JARRAULT
Publicação	1818

D*icionário Infernal* é um livro ilustrado sobre demonologia, publicado em 1818 por Jacques Auguste Simon Collin de Plancy. Em 1863, foram adicionadas as famosas ilustrações de Louis le Breton e M. Jarrault, que tentam retratar as descrições de aparecimentos dos demônios.

O autor não era supersticioso na época da primeira edição e, pessoalmente, não acreditava nas descrições de demônios. Considerava que os catálogos de aparições tivessem sido "fruto de uma imaginação um pouco desordenada".

Anos mais tarde, convertido em uma religiosidade fervorosa, ele modificou seus trabalhos anteriores em uma revisão de acordo com a constituição da Igreja Católica Romana.

O livro contempla setenta e duas ilustrações de demônios, 550 gravuras e mais de 800 artigos em 750 páginas. É considerado um dos maiores e mais completos catálogos de criaturas das trevas já publicado. Suas edições internacionais de luxo podem chegar a custar 200 dólares e são muito requisitadas por autores de livros, jogadores de RPG e estudiosos de mitologia, religião e arte.

Amon, ou **Aamon**, grand et puissant marquis de l'empire infernal. Il a la figure d'un loup, avec une queue de serpent; il vomit de la flamme; lorsqu'il prend la forme humaine, il n'a de l'homme que le corps; sa tête ressemble à celle d'un hibou et son bec laisse voir des dents ca-

nines très-effilées. C'est le plus solide des princes des démons. Il sait le passé et l'avenir, et réconcilie, quand il le veut, les amis brouillés. Il commande à quarante légions.

Les Égyptiens voyaient dans Amon ou Amoun leur Dieu suprême; ils le représentaient avec la peau bleue, sous une forme assez humaine.

B.
JARRAULT

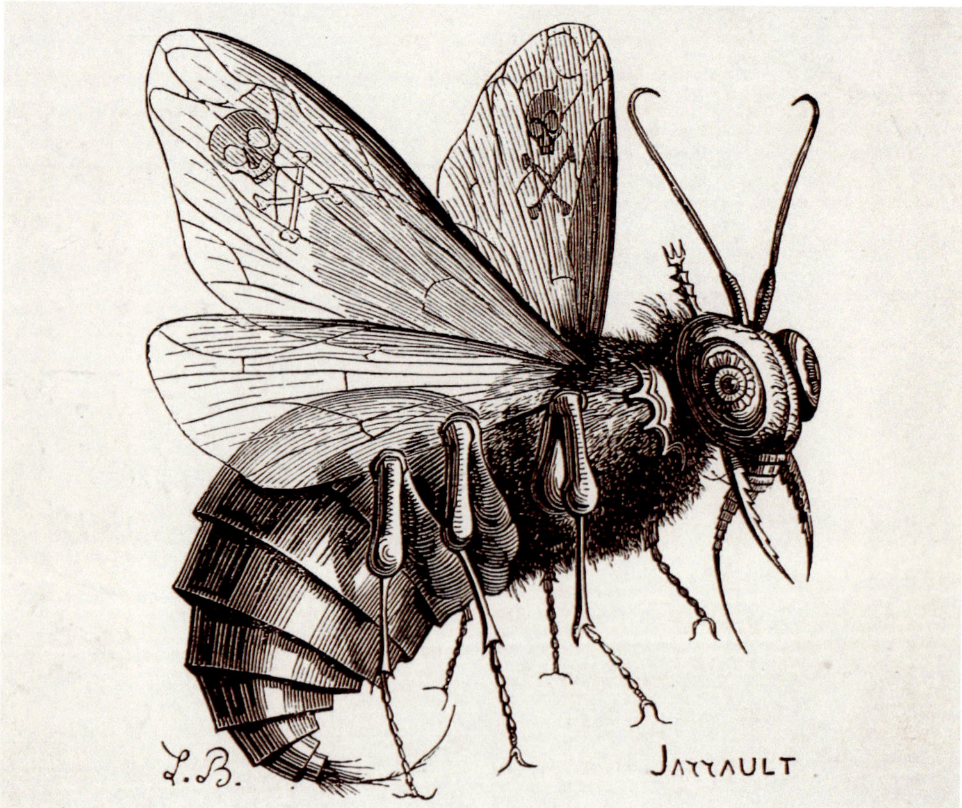
L.B.
JARRAULT

1847

FLORES ANIMADAS

Les fleurs animées

Flores personificadas em mulheres são o aroma artístico desta magnífica obra focada em arte

O cartunista parisiense J. J. Grandville criou, em um mix satírico e poético, dois livros com flores personificadas, considerados uma das suas maiores conquistas. Foram publicados postumamente, em 1847, e traduzidos e reimpressos várias vezes.

O capricho em suas ilustrações antropomórficas é um deleite para a filosofia, já que a aparente inocência das flores é satirizada pela forma sentimental que foram vistas no período do romantismo. As roupas transformadas em pétalas e folhas têm um ar feérico e onírico, tão cativantes em um atraente e colorido livro do passado. ✤

IDIOMA *Francês*

Autoria

J. J. GRANDVILLE

Ilustrações

J. J. GRANDVILLE

Publicação 1847

Grandville del.

Sarazin imp. r. Git le Cœur, 8 Paris

Ch. Geoffroy sc.

CHARDON

Garnier frères, Editeurs

ROSE

Grandville del. Ch. Geoffroy sc.

TULIPE

Grandville del
Ch. Geoffroy sc.

1520

AS PLANTAS MEDICINAIS

Arzneipflanzenbuch

Mandrágoras e folclore em um livro medicinal de ervas e plantas medievais

Produzido em Augsburgo, Alemanha, na década de 1520, o manuscrito anônimo ilustra dezenas de plantas excêntricas (incluindo a lendária mandrágora e sua criatura-raiz) tradicionais dos herbários medievais. No período Renascentista, as plantas foram classificadas e segregadas por espécies, mas este é um dos poucos livros remanescentes sem estas classificações. O manuscrito está nos idiomas Latim, Alemão e Italiano.

O folclore, bruxaria e alquimia estão presentes também nas ricas ilustrações herbais. ✤

IDIOMA *Alemão*

Autoria

DESCONHECIDO

Ilustrações

DESCONHECIDO

Publicação **1520**

Créditos: Bayerische StaatsBibliothek BSB Cod.icon. 26

Cauda porcina
miliũ solis

Bistorta
Serpentina

Dragontea
serpentaria maior

Barba aaron
Serpentina minor

59
Mandragora
Alraun

Lactuca
salat

1804

O PRÍNCIPE SELARASA

Serat Selarasa

Caricaturas javanesas em um manuscrito sobre as aventuras de um príncipe

Um dos manuscritos javaneses mais artísticos e antigos. Suas ilustrações são quase caricaturadas em estilo tradicional, e trazem as desventuras de Selarasa e seus irmãos, príncipes de Champa (onde hoje fica a Camboja), após o irmão mais velho tornar-se Rei, destratá-los e forçá-los a deixar o reino. De acordo com as convenções de ilustrações manuscritas javanesas, a elite era geralmente desenhada em perfil, na forma de 'wayang kulit', bonecos teatrais da cultura".

IDIOMA *Javanês*

Autoria

DESCONHECIDO

Ilustrações

DESCONHECIDO

Publicação 1804

[illegible]
[illegible]
[illegible]
[illegible]
[illegible]

[illegible]
[illegible]
[illegible]

[illegible]

[illegible]

1878

História da Arte Egípcia

Histoire de l'art égyptien

Imagens e História da cultura egípcia eternizadas por um arquiteto francês apaixonado pelo país

Achille-Constant-Théodore-Émile Prisse d'Avennes foi um arqueologista, egiptologista, arquiteto e escritor francês. Em 1827, quando chegou ao Egito, foi contratado pelo vice-rei Muhammad Ali como engenheiro civil, e passou muitos anos vivendo como egípcio e adotando o nome Idriss-effendi.

Em 1878, já com grandes conhecimentos sobre a cultura egípcia, publicou um dos seus livros mais belos e coloridos: *Histoire de l'art égyptien d'après les monuments depuis les temps les plus reculés jusqu'à la domination romaine par Prisse d'Avennes*, que, para uma população que ainda tinha pouco acesso ao visual do Antigo Egito, foi um marco histórico.

IDIOMA *Francês*

Autoria

ÉMILE PRISSE D'AVENNES

Ilustrações

ÉMILE PRISSE D'AVENNES

Publicação 1878

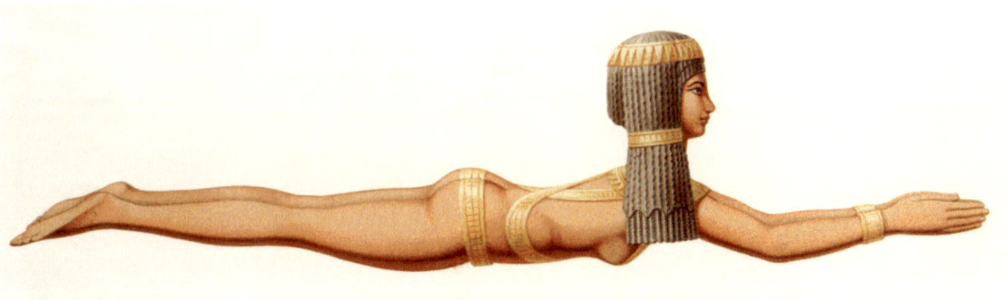

4
1
3
2

ART INDUSTRIEL.
PALANQUINS.

1491

MANUAL DE ANATOMIAS

Pseudo-Galen, Anatomia

Com figuras dignas de um filme *gore*, as anatomias presentes no livro tornaram sua glória eterna

IDIOMA *Latim*
Autoria
DESCONHECIDO
Ilustrações
DESCONHECIDO
Publicação 1491

Pseudo-Galen, Anatomia é um manuscrito que contém dois tratados médicos ingleses do século XV, e seu título foi uma homenagem à obra do médico grego Claudius Galeno (129 dC – 216 dC). No final do manuscrito estão oito ilustrações coloridas do corpo humano, das quais duas retratam o corpo em suas partes principais: a ventral e dorsal. Enquanto o texto está em inglês, as ilustrações guardam a terminologia anatômica latina original. Em contraste com o manuscrito, esses desenhos são bastante naturalistas.

The Wounded Man (O Homem Ferido) é um diagrama cirúrgico que funciona como um índice anotado para guiar o leitor por várias lesões e doenças, tornando-se uma figura reconhecível na cultura popular. Ele ilustra vários tipos de ferimentos que uma pessoa pode receber, como cortes e contusões de múltiplas armas, erupções cutâneas e pústulas, arranhões de espinhos e picadas de animais venenosos, dentre outros. A figura também inclui alguns contornos anatômicos esquemáticos de vários órgãos dentro de seu abdome incomum e transparente.

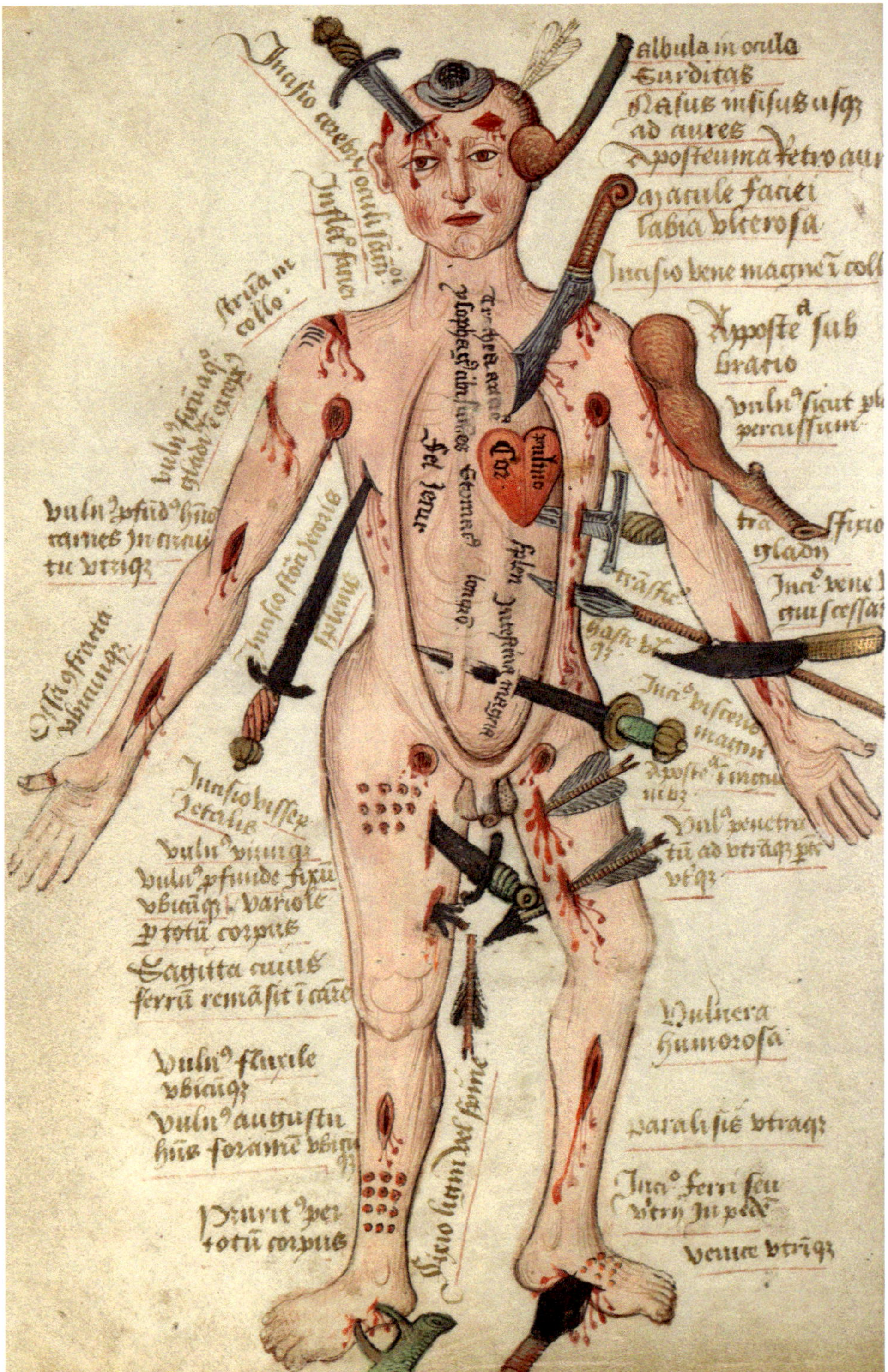

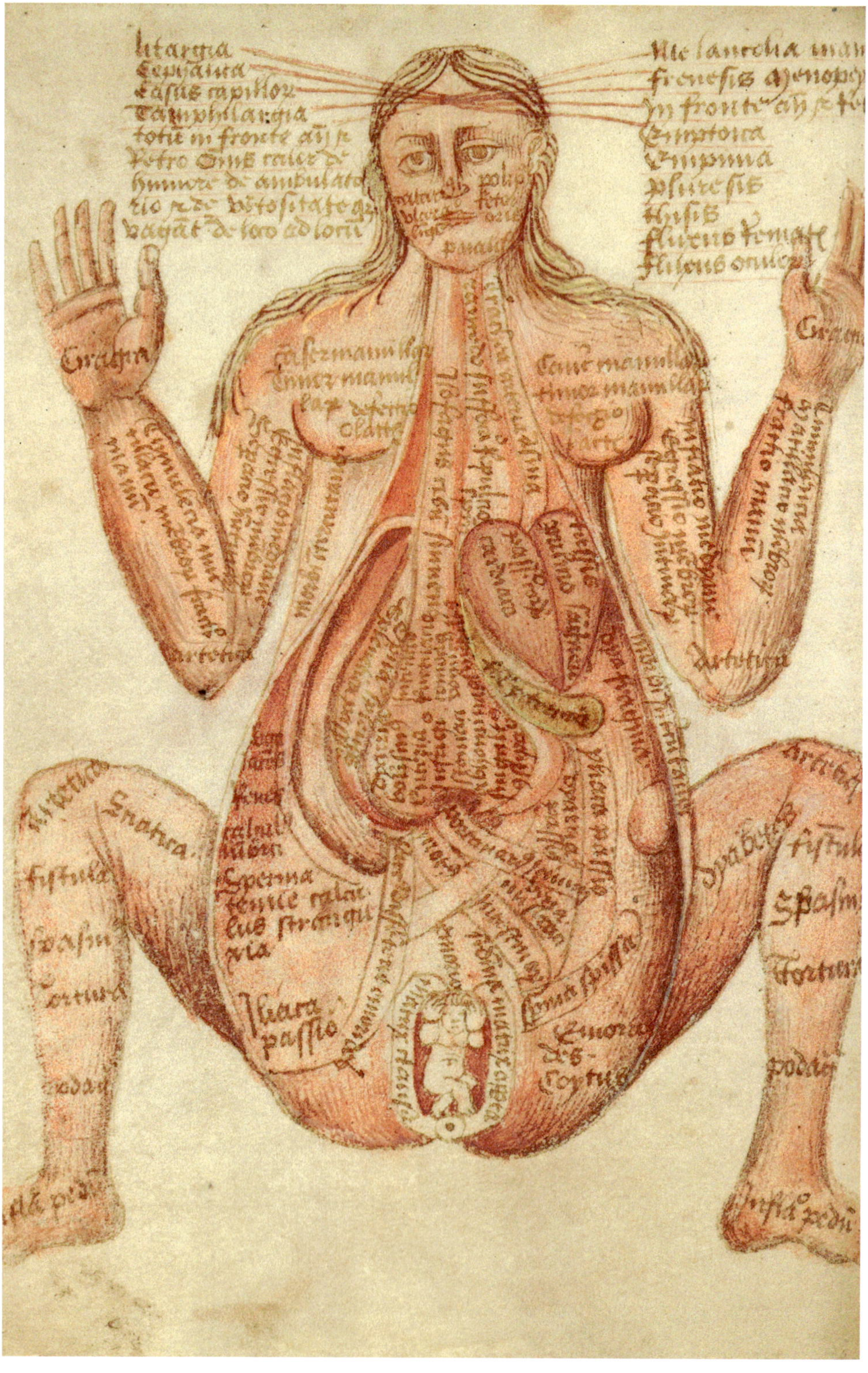

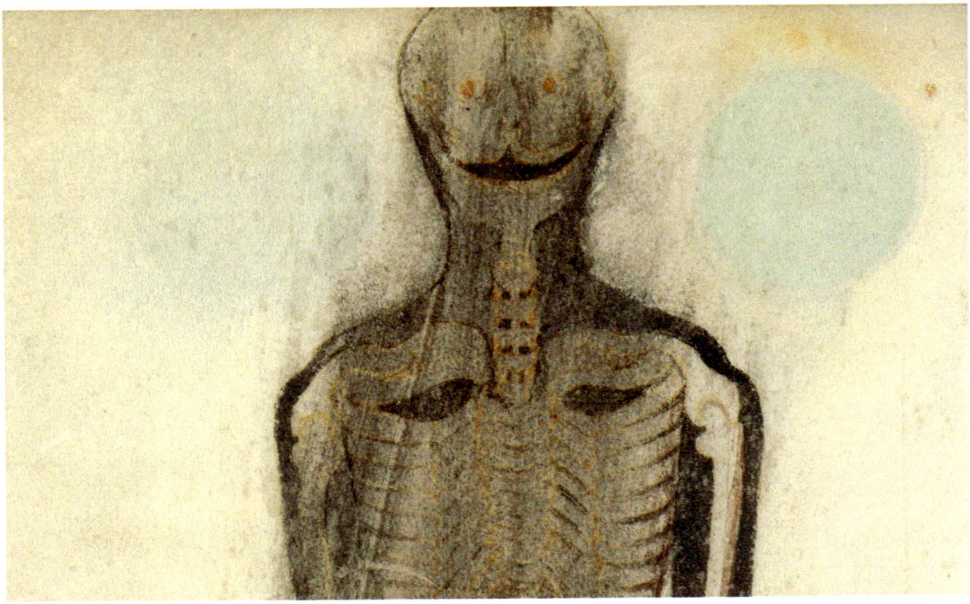

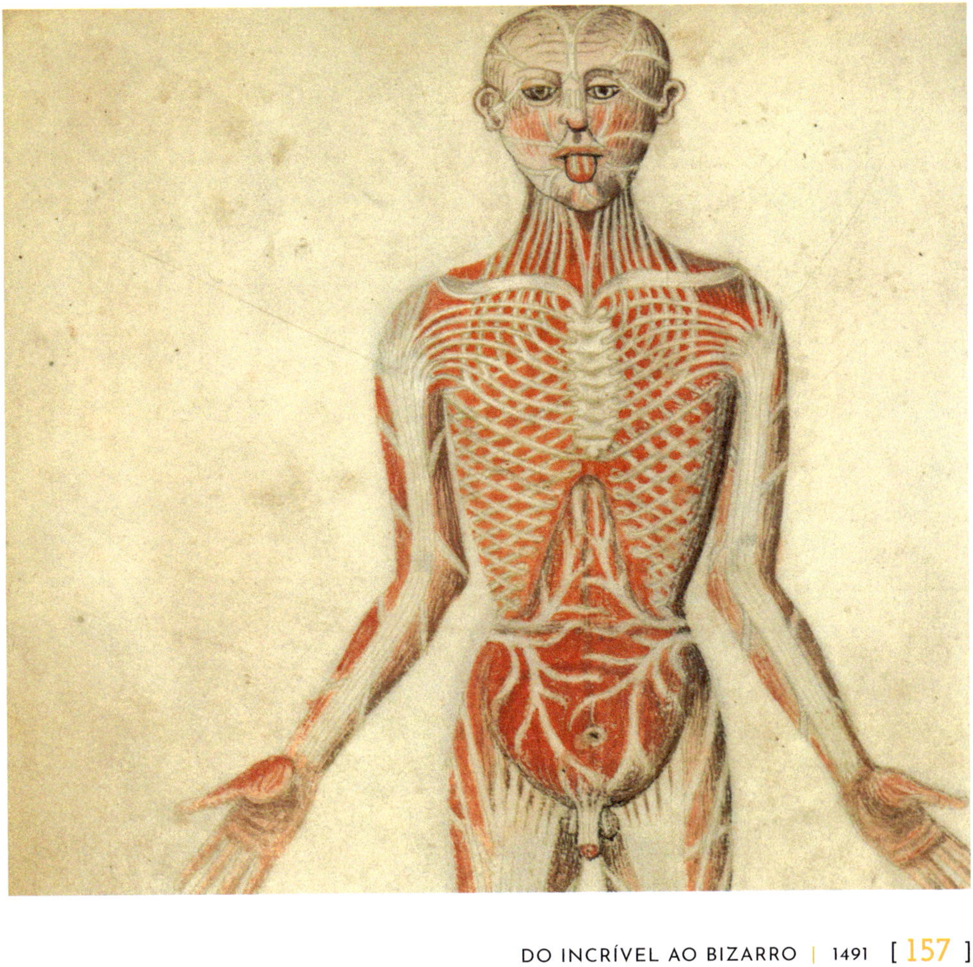

1754

HISTÓRIA E CURIOSIDADES DO MAR

Histoire naturelle des plus rares curiositez de la mer des Indes

Uma das mais raras e desejáveis obras de história natural, contendo placas surreais e coloridas de vida marinha das Índias Orientais

Louis Renard foi um editor de livros por dezessete anos, e uma de suas publicações foi a belíssima *Histoire naturelle des plus rares curiositez de la mer des Indes*, em 1719. A edição surreal das imagens em cores é a segunda, de 1754.

Os mundos científico e artístico ganharam exemplares com 100 folhas em cores e 460 gravuras de 415 peixes, 41 crustáceos, 2 insetos e uma sereia. As espécies, tirando a lendária sereia, são supostamente de animais marinhos indianos.

IDIOMA *Francês*

Edição

LOUIS RENARD

Ilustrações

DESCONHECIDO

Publicação 1754

Menos de vinte, das cem cópias da primeira edição, são conhecidas atualmente.

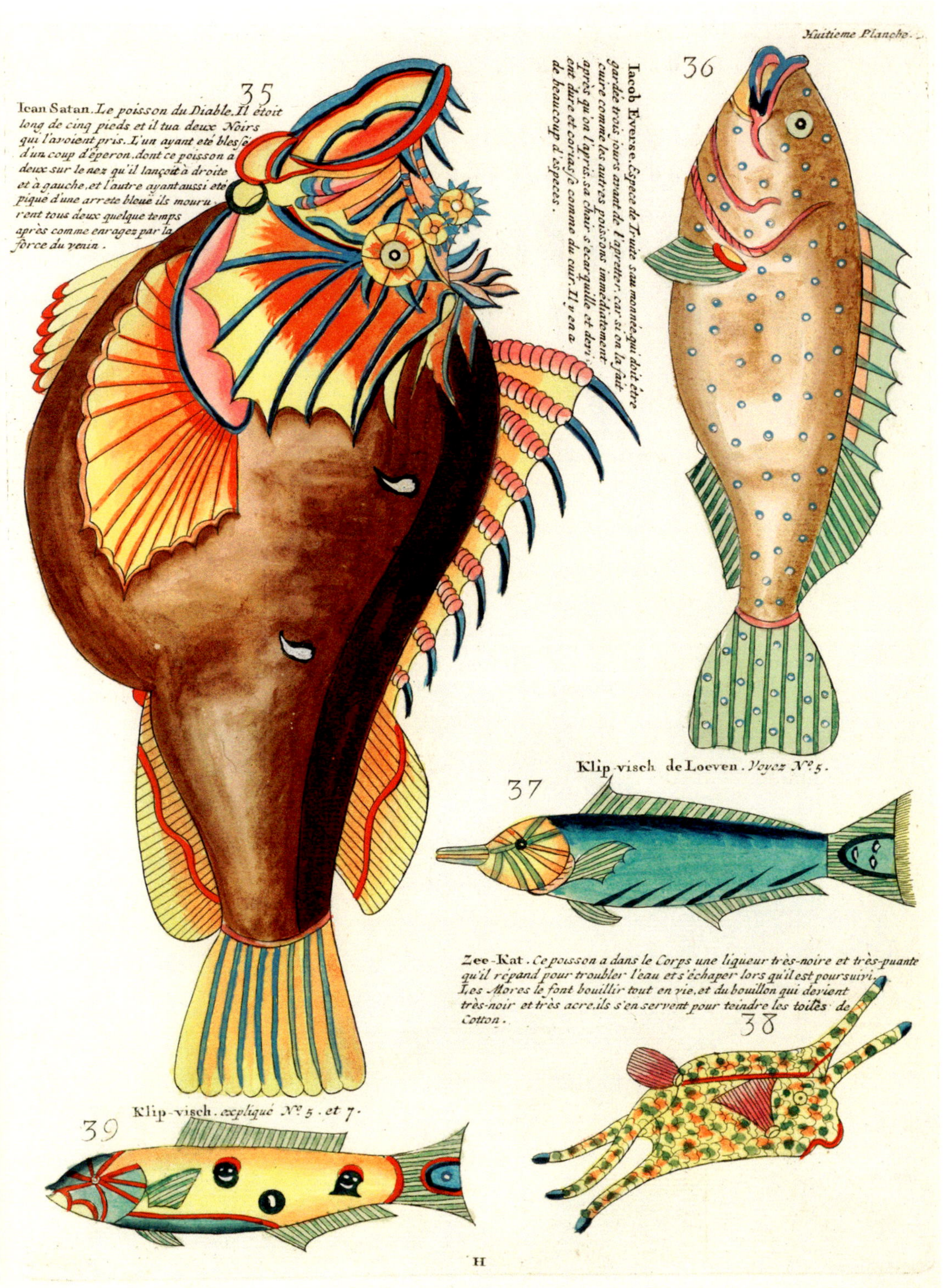
Huitieme Planche.
35
Iean Satan. Le poisson du Diable. Il étoit long de cinq pieds et il tua deux Noirs qui l'avoient pris. L'un ayant eté blessé d'un coup d'eperon, dont ce poisson a deux sur le nez qu'il lançoit à droite et à gauche, et l'autre ayant aussi eté piqué d'une arrete bleuë ils moururent tous deux quelque temps après comme enragez par la force du venin.
Iacob Evertse. Espece de Truite saumonnée, qui doit être gardée trois jours avant de l'apretter; car si on la fait cuire comme les autres poissons immédiatement après qu'on l'a pris, sa chair s'écarquille et devient dure et coriasse comme du cuir. Il y en a de beaucoup d'especes.
36
Klip-visch de Loeven. Voyez N.° 5.
37
Zee-Kat. Ce poisson a dans le Corps une liqueur très-noire et très-puante qu'il répand pour troubler l'eau et s'échaper lors qu'il est poursuivi. Les Mores le font bouillir tout en vie, et du bouillon qui devient très-noir et très acre, ils s'en servent pour teindre les toiles de Cotton.
38
Klip-visch. expliqué N.° 5. et 7.
39
H

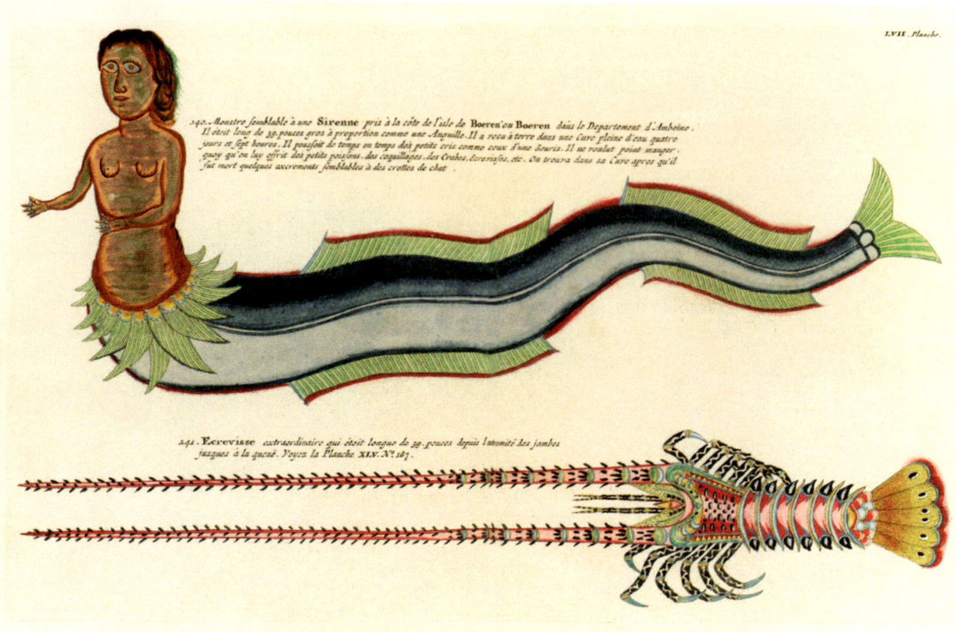
LVII. Planche.
240. Monstre semblable à une Sirenne pris à la côte de l'isle de Boeren ou Boeren dans le Departement d'Amboine.
Il étoit long de 59. pouces gros à proportion comme une Anguille. Il a vecu à terre dans une Cuve pleine d'eau quatre
jours et sept heures. Il poussoit de temps en temps des petits cris comme ceux d'une Souris. Il ne voulut point manger,
quoy qu'on luy offrit des petits poissons, des coquillages, des Crabes, Ecrevisses, etc. On trouva dans sa Cuve apres qu'il
fut mort quelques excrements semblables à des crottes de chat.
241. Ecrevisse extraordinaire qui étoit longue de 39. pouces depuis l'extremité des jambes
jusques à la queuë. Voyez la Planche XLV. N.° 187.

I. Planche.
De Groote Tafel-visch Poisson dessiné à l'Isle de Hila proche d'Amboine. Il est très-
excellent et pesoit environ 20 à 25. Livres Il a le goût du Turbot. Les Curieux de Hollande comme
Messieurs Witsen, Scott, Rhuys, Scheynvoet, Vincent &c. ont fait venir des Indes et conservent dans
leurs Cabinets plusieurs especes de cette sorte de Poisson, mais petits, les uns sechez et d'autres dans des
bouteilles d'esprit de vin: mais leurs plus belles couleurs se sont perduës. Elles se
fannent comme les fleurs quand le pois- son est hors de l'eau.
N.° 1
De Spits-Neus. Bon pois=
son de Hila et d'Amboine; j'ay
dessiné celui-cy par preference
à une infinité d'autres, dont
les couleurs étoient moins
belles.
2
3

É possível ver alguns símbolos diferentes nos detalhes das criaturas marinhas, e o livro não possui textos além dos encontrados nas imagens, mais focados em receitas do que ciência.

A vida marinha exótica do século XVIII, num período com poucos livros impressos coloridos, se tornou um dos marcos e um dos primeiros livros em cores sobre peixes já publicado.

Mesmo com imagens fantásticas, Louis Renard garantia que eram autênticas. Hoje é conhecido que muitos dos peixes desenhados não possuem similaridades com qualquer criatura viva.

Louis Renard também foi livreiro e espião para a Coroa Inglesa, empregado pela Rainha Anne, George I e George II. ✤

167. Peer-krabbe. Le Cancre Poirre. Celuy-cy a
été trouvé à Evenketyl sur le toit d'une Maison.
C'est une Krabbe terrestre dont il y a beaucoup d'especes
aux Moluques. Elles vivent d'arcignées et de chenilles,
qu'elles vont chercher sur les arbres où elles grimpent
comme les Limaçons avec leurs Coquilles.

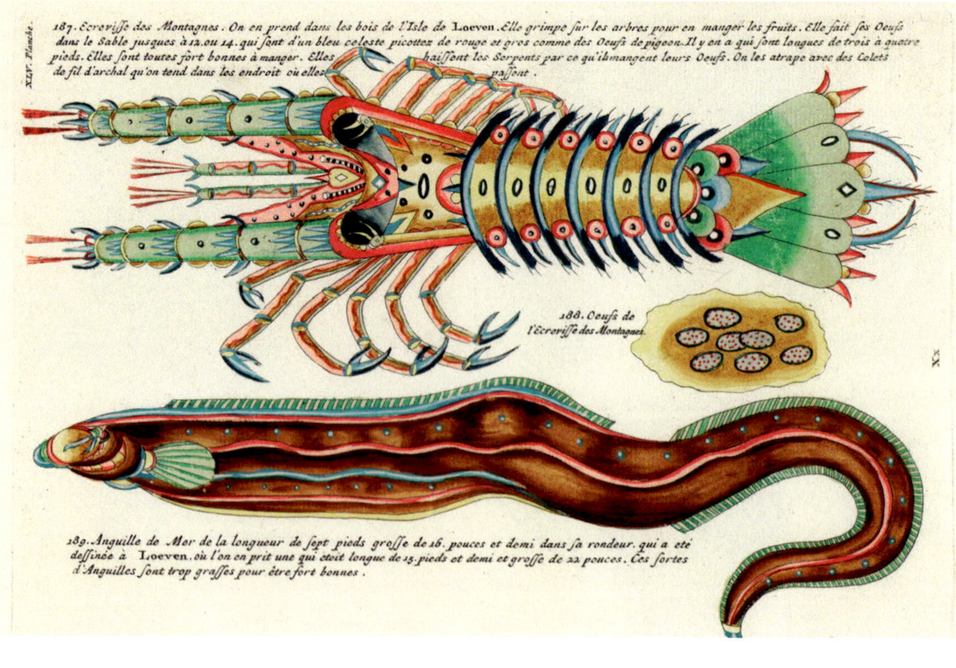
XLV. Planche.
187. Ecrevisse des Montagnes. On en prend dans les bois de l'Isle de Loeven. Elle grimpe sur les arbres pour en manger les fruits. Elle fait ses Oeufs dans le Sable jusques à 12. ou 14. qui sont d'un bleu celeste picottez de rouge et gros comme des Oeufs de pigeon. Il y en a qui sont longues de trois à quatre pieds. Elles sont toutes fort bonnes à manger. Elles haissent les Serpents par ce qu'ils mangent leurs Oeufs. On les atrape avec des Colets de fil d'archal qu'on tend dans les endroit où elles passent.
188. Oeufs de l'Ecrevisse des Montagnes.
Xx
189. Anguille de Mer de la longueur de sept pieds grosse de 16. pouces et demi dans sa rondeur. qui a eté dessinée à Loeven. où l'on en prit une qui etoit longue de 15. pieds et demi et grosse de 22 pouces. Ces sortes d'Anguilles sont trop grasses pour être fort bonnes.

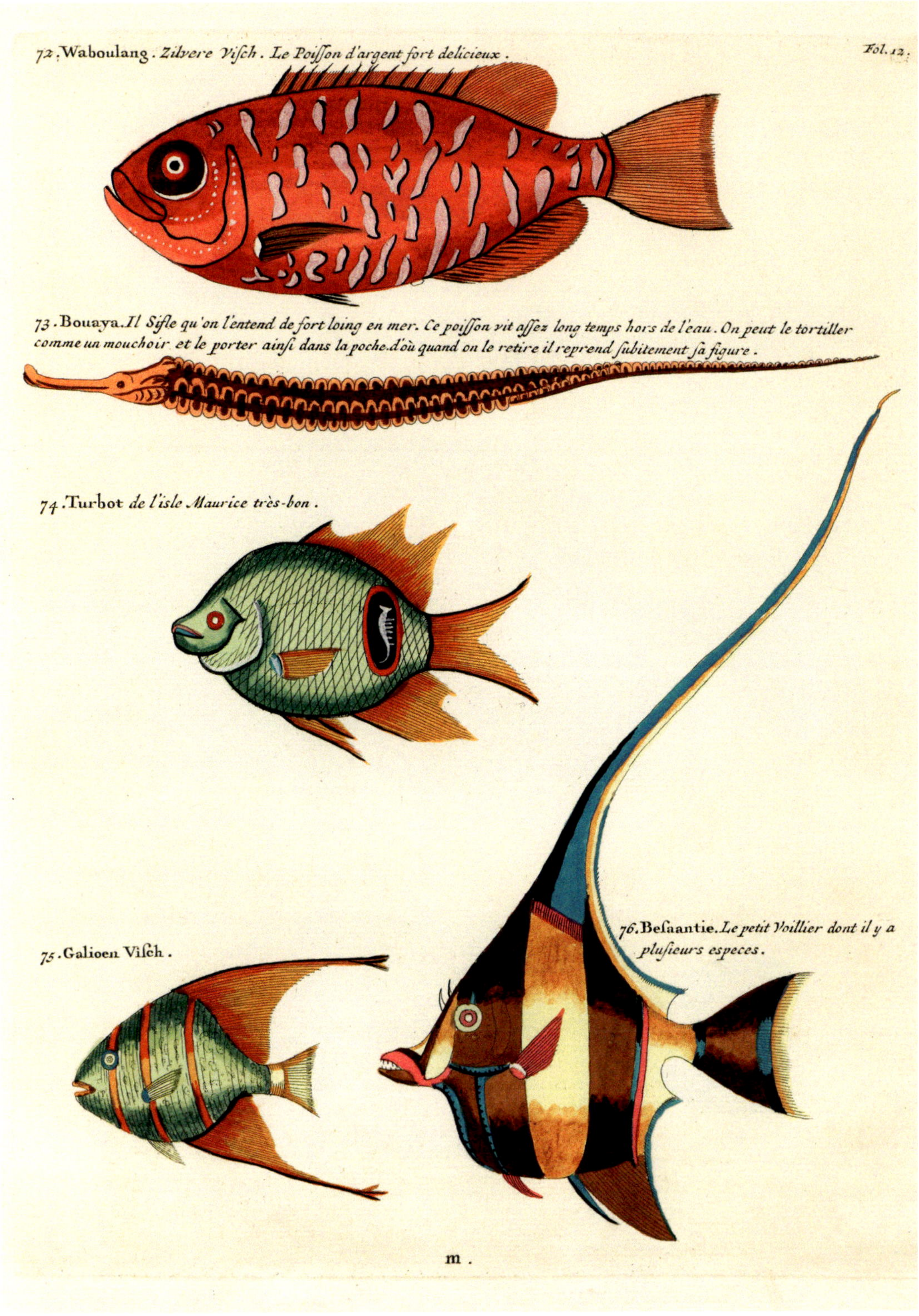
72. Waboulang. Zilvere Viſch. Le Poiſſon d'argent fort delicieux.
Fol. 12.
73. Bouaya. Il Sifle qu'on l'entend de fort loing en mer. Ce poiſſon vit aſſez long temps hors de l'eau. On peut le tortiller comme un mouchoir et le porter ainſi dans la poche. d'où quand on le retire il reprend ſubitement ſa figure.
74. Turbot de l'isle Maurice très-bon.
75. Galioen Viſch.
76. Beſaantie. Le petit Voillier dont il y a pluſieurs especes.
m.

1454

A BÍBLIA DE GUTENBERG

Biblia latina

Uma das obras mais valiosas e importantes do mundo, A Bíblia de Gutenberg está entre os primeiros livros impressos com prensas móveis

IDIOMA *Latim*

Autoria

JOHANNES GUTENBERG

Ilustrações

DESCONHECIDO

Publicação 1454

A *Bíblia de Gutenberg* foi um dos primeiros livros impressos utilizando o sistema de prensas móveis, que marcou o início da "Revolução de Gutenberg" e a era dos livros impressos no Ocidente. Foi em meados dos anos 1400 que Johannes Gutenberg criou a imprensa com o objetivo de difundir a Bíblia Sagrada de uma maneira mais eficiente, dizendo que "através dela Deus espalhará a sua palavra".

Amplamente elogiado por suas altas qualidades estéticas e artísticas, o livro tem um status icônico. Apenas quarenta e nove cópias sobreviveram. Acredita-se que estejam entre os livros mais valiosos do mundo, embora nenhuma cópia completa tenha sido vendida desde 1978. Não se sabe quantas cópias foram impressas, mas estima-se que tenham sido produzidas de 158 e 180 cópias ao longo de três anos. O livro impresso mais antigo do mundo é o *Diamond Sutra*, encontrado na China e publicado em 868 d.C.

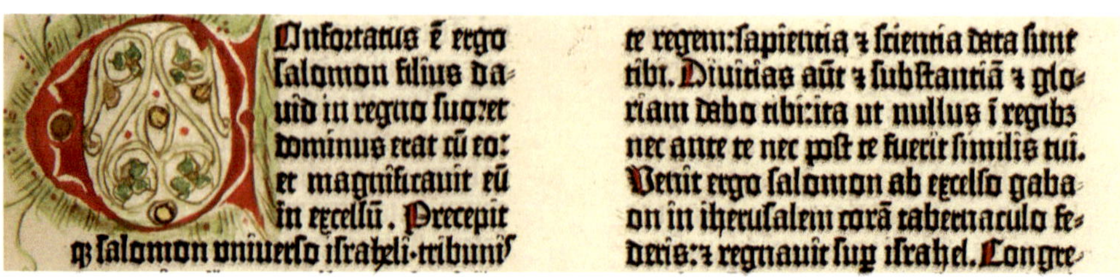
Onfortatus ē ergo
salomon filius da-
uid in regno suo: et
dominus erat cū eo:
et magnificauit eū
in excelsū. Precepit
q3 salomon uniuerso israheli·tribunis
te regem: sapientia et scientia data sunt
tibi. Diuitias autē et substantiā et glo-
riam dabo tibi: ita ut nullus in regibus
nec ante te nec post te fuerit similis tui.
Venit ergo salomon ab excelso gaba-
on in iherusalem corā tabernaculo fe-
deris: et regnauit sup israhel. Congre-

sup̄ eam que rite p̄cepta sūt. Candela-
brum stabit cū lucernis suis: et altare
aureū ī quo adolet̄ incensū corā archa
testimonij. Tentoriū ī introitu taberna-
culi testimonij pones: et ante illud al-
tare olocausti. Labrum inter altare ⁊
tabernaclm: qd̄ implebis aqua. Cir-
cundabisq; atriū tentorijs: ⁊ ingressū
eius. Et assumpto unctōnis oleo un-
ges tabernaclm cū vasis suis ut sancti-
ficent̄: altare olocausti ⁊ oīa vasa
eius: labrū cū basi sua. Oīa unctio-
nis oleo consecrabis: ut sint sancta
sanctorū. Applicabisq; aaron et filios
eius ad fores tabernacli testimonij: et
lotos aqua indues sanctis vestibus.
ut ministrent michi: et unctio eorū in
sacerdotiū sempiternū proficiat. Fecit
q; moyses oīa q̄ p̄ceperat dominus.
Igit̄ mense p̄mo anni scd̄i: prima die
mensis collocatū ē tabernaclm. Erexit
q; moyses illud et posuit tabulas ac
bases et vectes: statuitq; columnas et
expandit tectū sup̄ tabernaclm: imposi-
to desup̄ opimento sicut dn̄s impera-
uerat. Posuit et testimoniū in archa.
subditis infra vectib;: et oraclm desup̄.
Cūq; intulisset archam ī tabernaclm
testimonij: appendit ante eā velum ut
expleret dn̄i iussionem. Posuit ⁊ men-
sam in tabernaclo testimonij ad pla-
gam septentrionalē extra velum: ordi-
natis corā p̄positōnis panib;: sicut
p̄ceperat dn̄s moysi. Posuit ⁊ candela-
brum ī tabernaclo testimonij e regione
mense in parte australi: locatis per
ordinem lucernis iuxta p̄ceptum dn̄i.
Posuit ⁊ altare aureum sub tecto testi-
monij cōtra velum: et adoleuit sup̄ eo
incensum aromatū: sicut iusserat dn̄s
moysi. Posuit ⁊ tentoriū ī introitu ta-
bernacli testimonij: ⁊ altare olocausti
in vestibulo testimonij: offerens in eo
olocaustū ⁊ sacrificia ut dn̄s impaue-
rat. Labrū q; statuit inter tabernaclm
testimonij et altare implens illud a-
qua: lauerūtq; in eo moyses et aaron
ac filij eius manus suas ac pedes cū
ingrederent̄ tectū federis et accederent
ad altare: sicut preceperat dn̄s moysi.
Erexit et atriū p̄ gyrum tabernaculi et
altaris: ducto in introitu ei⁹ tentorio.
Postq̄ oīa perfecta sūt opuit nubes
tabernaculū testimonij et gloria dn̄i
impleuit illud: nec poterat moyses
ingredi tectū federis nube opiente oīa.
et maiestate dn̄i choruscāte: quia cūcta
nubes opuerat. Si quādo nubes taber-
naculū deserebat: p̄ficiscebant̄ filij isrl'
p̄ turmas suas. Si pendebat desup̄: ma-
nebant in eodem loco. Nubes quippe
dn̄i incubabat p̄ diem tabernaclo et i-
gnis ī nocte: videntib; cūctis populis
israhel per cunctas mansiones suas.
Explicit liber exodus Tu aūt. Dn̄ica in
Incipit liber vagecra i leuiticus
I. Uocauit autē moy-
sen: et locutus est ei
dn̄s de tabernaculo
testimonij dicēs. Lo-
quere filijs israhel:
et dices ad eos. Ho-
mo q̄ obtulerit ex vobis hostiam dn̄o
de pecorib; idest de bobus et ouibus
offerens victimas: si olocaustū fuerit
eius oblatio ac de armento: masculū
immaclatū offeret ad ostiū tabernacli
testimonij: ad placandum sibi dn̄m.
Ponetq; sup̄ caput hostie manus et + manū
acceptabilis erit: atq; in expiationem
eius proficiēs. Immolabitq; vitulū
corā dn̄o: ⁊ offerēt filij aarō sacerdotes
sanguinem eius fundentes per altaris
circuitū: qd̄ est ante ostiū tabernaculi.

undique
Coarctor nimis. Sed melius est ut incidam
in manus domini: multe enim misericordie
eius sunt: quam in manibus hominum.
Immisitque dominus pestilentiam in israel de mane
usque ad tempus constitutum: et mortui
sunt ex populo a dan usque bersabee septua-
ginta milia virorum. Cumque extendisset
manum suam angelus dei super ierusalem ut
disperderet eam: misertus est dominus super
afflictione: et ait angelo percucienti po-
pulum. Sufficit nunc: contine manum
VI. T. tuam. Erat autem angelus domini iuxta aream
areuna iebusei. Dixitque david ad do-
minum: cum vidisset angelum cedentem
populum. Ego sum qui peccavi et ego ini-
que egi. Isti qui oves sunt quid fecerunt?
Vertatur obsecro manus tua contra me: et
contra domum patris mei. Venit autem gad
propheta ad david in die illa: et dixit ei.
Ascende et constitue altare domino in area
areuna iebusei. Et ascendit david
iuxta sermonem gad: quem preceperat ei dominus.
VII. Conspiciensque areuna animadvertit regem
et servos eius transire ad se: et egressus ado-
ravit regem prono vultu in terram et ait.
Quid cause est ut veniat dominus meus rex
ad servum suum? Cui david ait. Ut emam a
te aream: et edificem altare domino: et cesset interfe-
VIII. ctio que grassatur in populo. Et ait areuna ad rei et
david. Accipiat et offerat dominus meus rex:
sicut placet ei. Habes boves in olocau-
stum: et plaustrum et iuga boum in usum
lignorum. Omnia dedit areuna regi. Dixit- rex
que areuna ad regem. Dominus deus tuus suscipi-
at votum tuum. Cui respondens rex ait. Nequa-
quam ut vis sed emam precio a te: et non offeram
domino deo meo olocausta gratuita. Emit
ergo david aream et boves argenti siclis
quinquaginta: et edificavit ibi david
altare domino: et obtulit olocausta et
pacifica. Et repropiciatus est dominus
terre: et cohibita est plaga ab israhel.
Explicit liber regum secundus. Incipit autem
D. I. Incipit liber regum tercius.

Capitulum primum
Et rex david senuerat:
habebatque etatis plu-
rimos dies. Cumque
operiretur vestibus non
calefiebat. Dixerunt
ergo ei servi sui. Que-
ramus domino nostro regi adolescentulam
virginem: et stet coram rege et foveat eum
dormiatque in sinu suo: et calefaciat do-
minum nostrum regem. Quesierunt igitur
adolescentulam speciosam in omnibus
finibus israel: et invenerunt abisag suna-
mitem. et adduxerunt eam ad regem. Erat
autem puella pulcra nimis: dormiebat-
que cum rege et ministrabat ei. Rex vero
non cognovit eam. Adonias autem filius II
agith elevabatur dicens. Ego regnabo.
Fecitque sibi currus et equites: et quinqua-
ginta viros qui currerent ante eum. Nec
corripuit eum pater suus aliquando
dicens. Quare hoc fecisti? Erat autem et
ipse pulcer valde: secundus natu post fuit
absalon. Et sermo eius cum ioab filio
sarvie et cum abiathar sacerdote: qui
adiuvabant partes adonie. Sadoch III
vero sacerdos et banaias filius ioiade
et nathan propheta et semei et
robur exercitus david
non erat cum adonia. Immolatis ergo
adonias arietibus et vitulis et universis
pinguibus iuxta lapidem zoheleth qui erat
vicinus fonti rogel: vocavit universos
fratres suos filios regis: et omnes vi-
ros iuda servos regis: nathan autem
prophetam et banaiam et robustos
quosque et salomonem fratrem suum non vo-
cavit. Dixit itaque nathan ad bethsabee IIII. D
matrem salomonis. Num audisti quod
regnaverit adonias filius agith et dominus
noster david hoc ignorat? Nunc ergo
veni accipe consilium a me: et salva

Incipit prologus beati iheronimi
presbiteri in librum iosue ben nun

Tandem finito pētatheuco
moysi velud grādi fenore
liberati ad ihesum filium
naue manū mittim⁹ quē
hebrei iosue bēnun id ē iosue filiū nun
vocāt: ⁊ ad iudicū librū quē sopthim
appellāt: ad ruth q₃ ⁊ hester q̄s isdē
nominibus efferunt. Monemusq₃ le-
ctorem ut siluā hebraicorū nominū
et distinctiones per mēbra diuisas di-
ligens scriptor cōseruet: ne et noster
labor et illius studiū pereat. Et ut in
primis qđ sepe testat⁹ sum sciat me nō
in reprehensionē veterū noua cudere
sicut amici mei criminātur: sed pro virili
portione offerre lingue mee hominib₃
q̄s tamē nr̄a delectāt: ut pro grecoꝝ exa-
plois q̄ ⁊ sumptu ⁊ labore maximo in-
digēt: editionē nr̄am habeāt. Et sicubi
i antiquoꝝ voluminum lectione dubi-
tauerint: hec illis cōferētes inueniant
qđ requirunt. Maxime cū apud latinos
tot sint exemplaria quot codices: et v-
nusquisq₃ pro arbitrio suo vel addiderit
vel subtraxerit qđ ei visū est: et utiq₃ nō
possit verū esse qđ dissonat. Unde cesset
arcuato vulnere cōtra nos insurgere
scorpius: et sanctū op⁹ venenata carpe-
re lingua desistat: vel suscipiēs si placet
vel cōtemnēs si displicet: meminerit q₃
illoꝝ versuū. Os tuū abundauit ma-
licia: ⁊ lingua tua cōcinnabat dolos. Se-
dēs aduersus fratrem tuū loquebaris: et
aduersus filiū matris tue ponebas scan-
dalū: hec fecisti ⁊ tacui. Existimasti in-
ique qđ ero tui similis: arguā te ⁊ statuā
illa cōtra faciē tuā. Que eni audientis
vel legētis utilitas ē nos laborādo su-
dare: et alios detrahendo laborare?
dolere iudeos qđ calumniandi eis et
irridendi xp̄ianos sit ablata occa-
sio: et ecclesie homines id despicere
ymmo lacerare unde aduersarij torq-
antur? Quod si veteris eis tantū inter-
pretatio placet: q̄ ⁊ michi nō displicet
⁊ nichil extra recipiēdū putāt: cur ea q̄
sub asteriscis ⁊ obelis vel addita sunt
vel āputata legūt ⁊ negligūt? Quare
danielē iuxta theodotionis trāslationē
ecclesie susceperūt? Cur origenē mirāt
et eusebiū pāphili cūctas editiones si-
militer disserētes? Aut q̄ fuit stulticia
postq̄ vera dixerit: proferre q̄ falsa sunt?
Unde aūt in nouo testamēto probare
poterūt assumpta testimonia: q̄ i libris
veterib₃ nō habentur? Hec dicim⁹: ne
omnino calūniantib₃ tacere videant.
Ceterū post sancte paule dormitionē
cui⁹ vita virtutis exemplū est: et hos
libros quos eustochio virgini xp̄i
negare nō potui: decreuim⁹ dū spirit⁹
hos regit artus prophetaꝝ explanatio-
ni incūbere: et omissum iam diu opus
quodam postliminio repetere: preser-
tim cū ⁊ admirabilis sanctusq₃ vir
pammachius hoc idē litteris flagitet:
et nos ad patriā festinātes mortiferos
syrenaꝝ cāt⁹ surda debeam⁹ aure trāsire.

Explicit prologus

Incipit liber iosue bēnun Capitulum primum

Et factum ē post mor-
tem moysi serui dn̄i:
ut loqueret dn̄s ad
iosue filiū nūn mi-
nistrum moysi: ⁊ di-
ceret ei. Moyses ser-
uus meus mortuus est. Surge ⁊ trāsi
iordanē istū tu et omīs pp̄ls tecum: in
terrā quā ego dabo filijs isrl̄. Omnē
locū quē calcauerit vestigiū pedis vr̄i
vobis tradā: sicut locut⁹ sum moysi.
A deserto et libano usq₃ ad fluuium
magnū eufraten: omīs terra etheorū

1587

A ARTE DE NADAR

De Arte Natandi

Em uma época em que a sociedade tinha quase nenhum conhecimento científico sobre natação, um livro bizarro é publicado

Publicado pela primeira vez na Inglaterra de 1587, o livro *A arte de nadar*, escrito por Sir Everard Digby, traz um fato curioso para além do seu conteúdo. Ao invés de ser lançado na língua materna do autor, ele foi escrito e publicado em latim, pois em certos lugares era considerado vulgar escrever em inglês naquela época, o que contribuiu para que seu trabalho fosse prontamente plagiado e traduzido sem permissão.

IDIOMA *Latim*

Autoria

SIR EVERARD DIGBY

Ilustrações

DESCONHECIDO

Publicação 1587

O trabalho de Digby foi traduzido duas vezes para o inglês e outra para o francês. A edição francesa foi traduzida para alemão, espanhol e italiano. Uma tradução abreviada do trabalho de Digby foi publicada em 1595. Outra, publicada em 1658, que professava ser a original, foi uma tradução quase literal da obra.

Melchisédec Thévenot traduziu para o francês o trabalho original em latim de Digby, e foi publicado em Paris sob o título *L'Art de Nager* em 1696, quatro anos após a morte de Thévenot. Em 1699, *The Art of Swimming*, traduzido para o inglês a partir de *L'Art de Nager*, foi publicado em Londres, sem que o tradutor suspeitasse que Thévenot não fosse o autor original, porque ele sempre recebera o crédito por isso. Mesmo o grande estudioso Benjamin Franklin, que chegou à raiz da maioria das coisas que ele tocou, cita Thévenot sem a menor suspeita de que o autor original era o inglês Digby.

DE ARTE NATANDI

Thévenot descreveu a natação como "*um esporte antigo que até então não havia recebido a investigação necessária para melhorar a eficiência*".

A evolução mais recente da natação na cultura ocidental é habilmente registrada por várias autoridades de destaque, e especialmente nas descrições clássicas de Steedman (1867), Wilson (1883), Sinclair e Henry (1903) e Carlile (1963).

Compêndio de Demonologia e Magia

Compendium rarissimum totius Artis Magicae sistematisatae per celeberrimos Artis hujus Magistros

Um bestiário incomum e colorido de demônios e seres mágicos das trevas

IDIOMA *Latim*

Autoria

DESCONHECIDO

Ilustrações

DESCONHECIDO

Publicação **1775**

O *Compêndio de Demonologia e Magia* é a seleção de páginas de um livro de demonologia do século XVIII, composto por mais de trinta aquarelas extraordinárias, mostrando várias figuras fantásticas, bem como sinais mágicos e cabalísticos. Com uma página de título adornada com esqueletos e o aviso de "não me toque", rapidamente se percebe as estranhezas escuras que se escondem dentro de suas páginas, e o autor tentou passar uma impressão de livro antigo ao mencionar o ano de 1057. A maior parte das ilustrações retrata de um variado bestiário de criaturas demoníacas grotescas até todo tipo de atividade apropriadamente demoníaca, como mastigar pernas decepadas, cuspir fogo e cobras de órgãos genitais e desfilar em torno de cabeças decapitadas em gravetos. Além disso, também parece haver imagens relacionadas à necromancia, o ato de comunicar-se com os mortos, a fim de obter informações sobre o futuro e possivelmente controlá-lo. ✤

Der fürst der finsternis: Dagol:

So erscheinet der Belzebub.

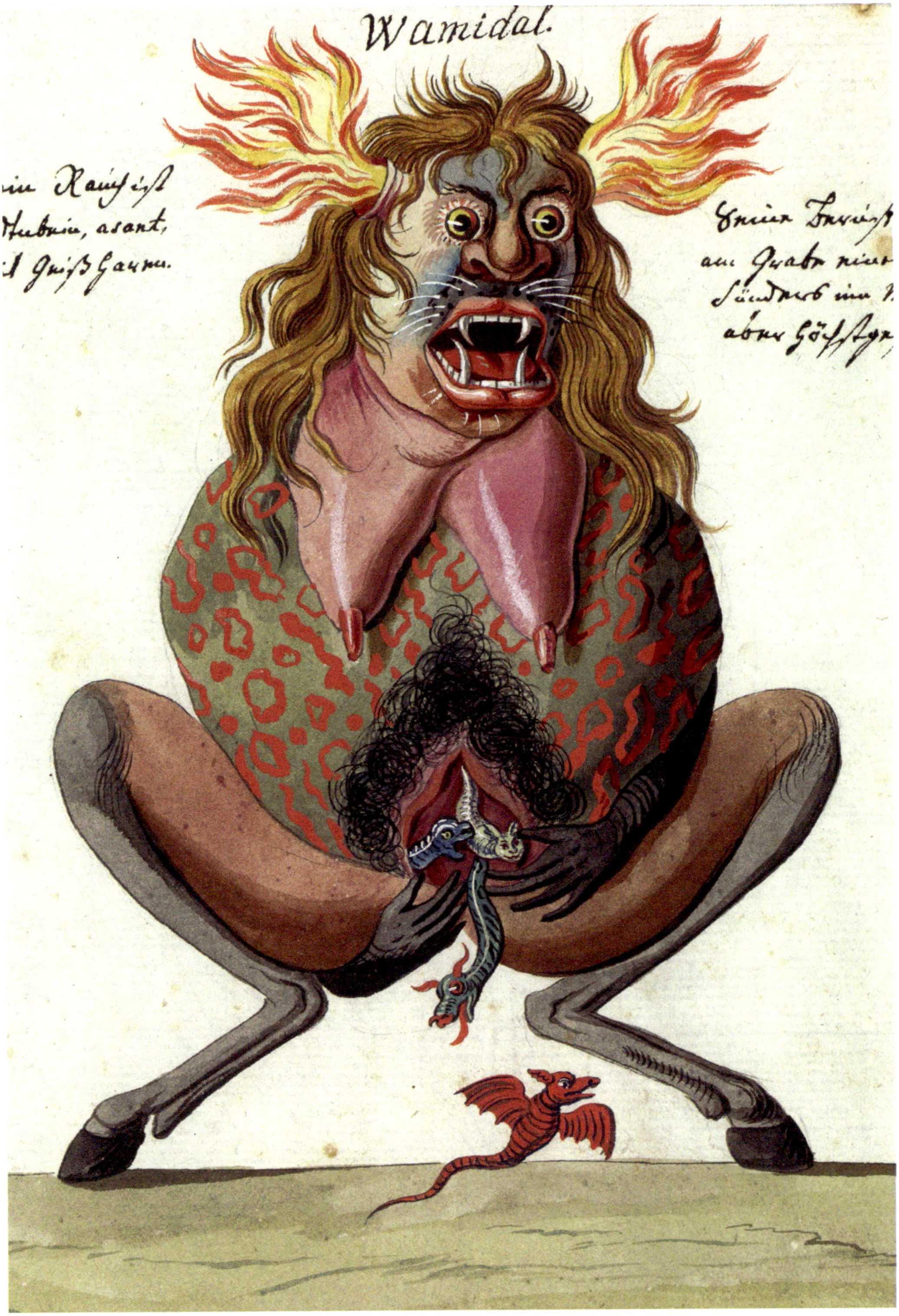
Wamidal.

Nabhi. Tirama. Nudaton.
Zagrion. Alogiel. Kilik.
Eloson. Zagal.
Iglion. Soloma.
Lapador.

Taüfel über

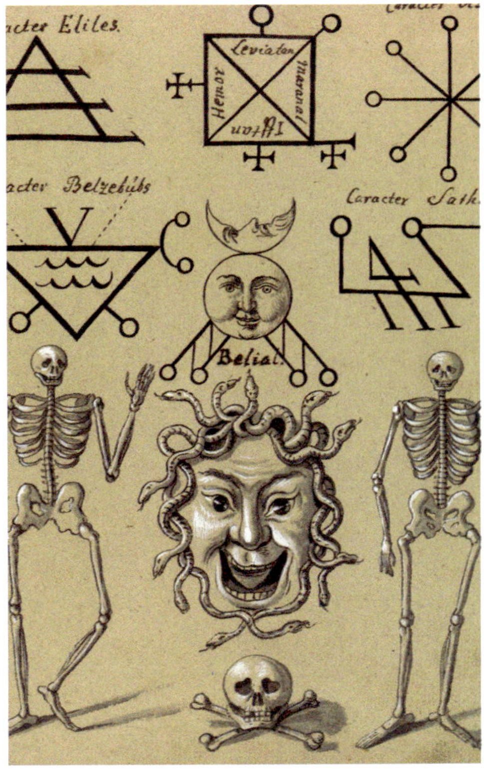
Leviaton
Belial.

Sobre a Escrita dos Insanos

On the Writing of the Insane

Visões únicas sobre a escrita e a arte através dos pacientes de um asilo

Este magnífico livro trata-se de uma compilação sobre as peculiaridades dos estilos de escrita, reunidas por George Mackenzie Bacon, o superintendente médico do asilo *Cambridgeshire County Asylum*, na Inglaterra, a partir da forma como era mostrado por seus pacientes. O modesto volume de 94 páginas detalha vários casos de pacientes sob seus cuidados no asilo, onde trabalhou de 1869 até sua morte em 1883.

IDIOMA *Inglês*

Autoria

G. MACKENZIE BACON

Ilustrações

VÁRIOS

Publicação 1870

As imagens mais interessantes e coloridas são produto de um respeitável artesão, não identificado, que foi enviado para o asilo depois de quase três anos de melancolia. Durante os dois anos em que esteve internado, ele passou muito do seu tempo escrevendo – às vezes versículos, às vezes desenhando diagramas extraordinários.

Bacon explica que o homem, depois de deixar o asilo, foi trabalhar em seu ofício e conseguiu chegar a certo grau de prosperidade dois ou três anos depois. Infelizmente as coisas não terminaram bem para o homem. No ano seguinte, alguns problemas domésticos o aborreceram bastante, e ele acabou se afogando em um local público.

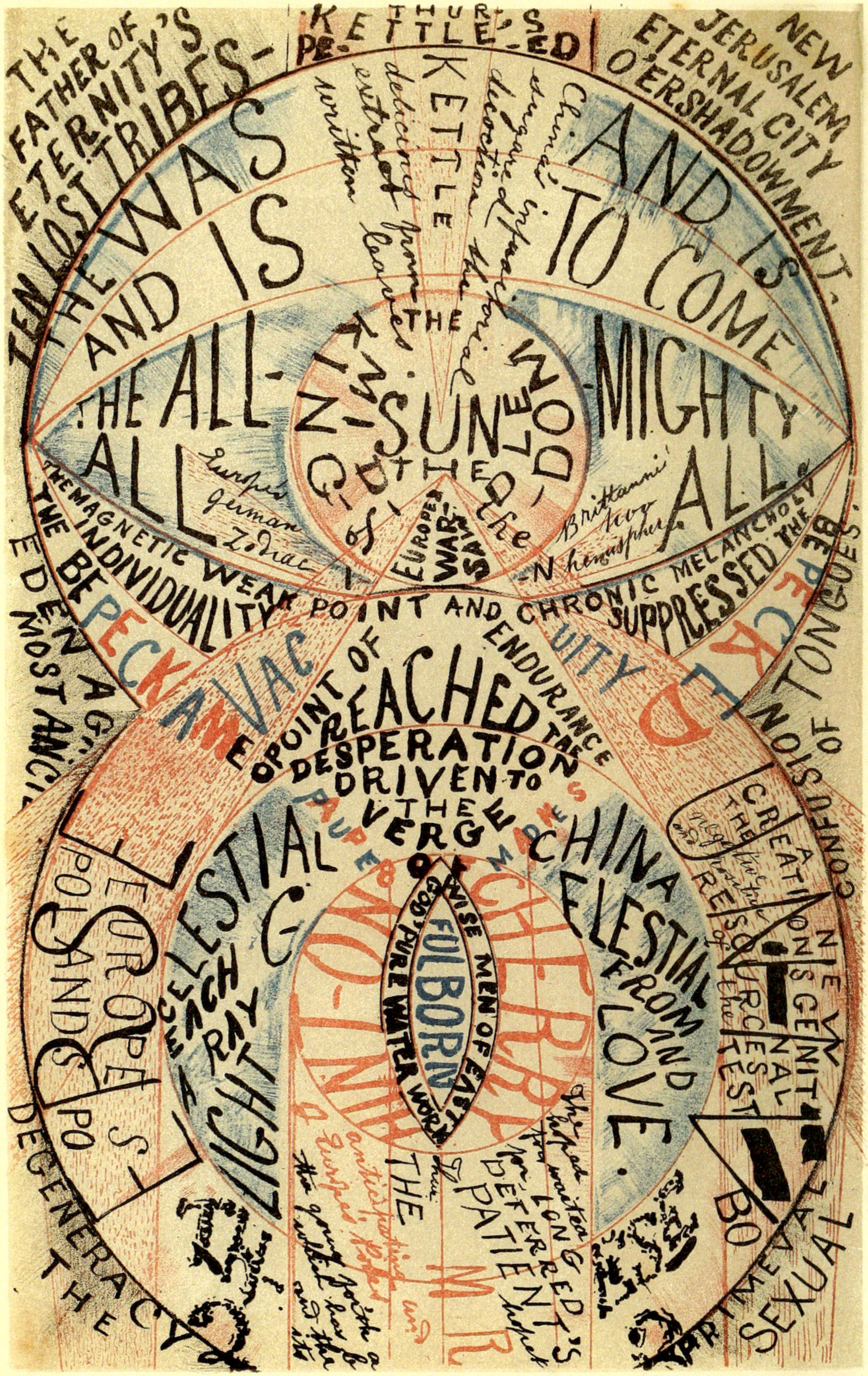

THE FATHER OF ETERNITY'S
TEN LOST TRIBES
KETTLE
KETTLE
NEW JERUSALEM
ETERNAL CITY
OVERSHADOWMENT
THE WAS
AND IS
AND IS
TO COME
THE ALL-
MIGHTY
ALL
ALL
SUN
THE
THE MAGNETIC
INDIVIDUALITY
WEAK POINT AND CHRONIC MELANCHOLY
SUPPRESSED
CONFUSION OF TONGUES
EDEN
REACHED
DESPERATION
DRIVEN TO
THE
VERGE
ENDURANCE
CELESTIAL
CHINA
CELESTIAL
FROM
LOVE
EACH RAY
LIGHT
FULBORN
WISE MEN OF EAST
GOD'S PURE WATER WORK
CREATIONS
NEW
DETERRED
PATIENT
LONG
THE
DEGENERACY
SEXUAL
PRIMEVAL

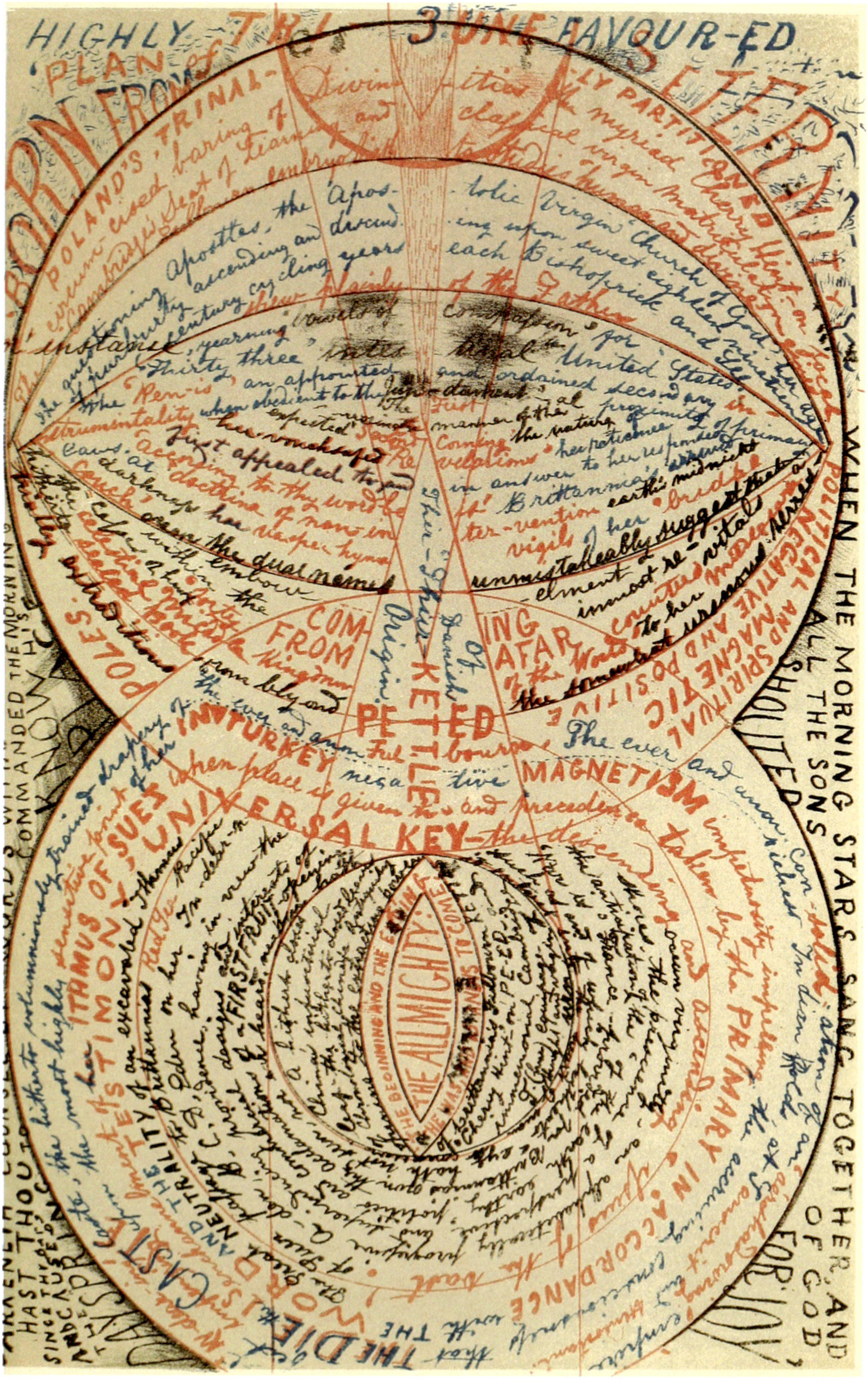

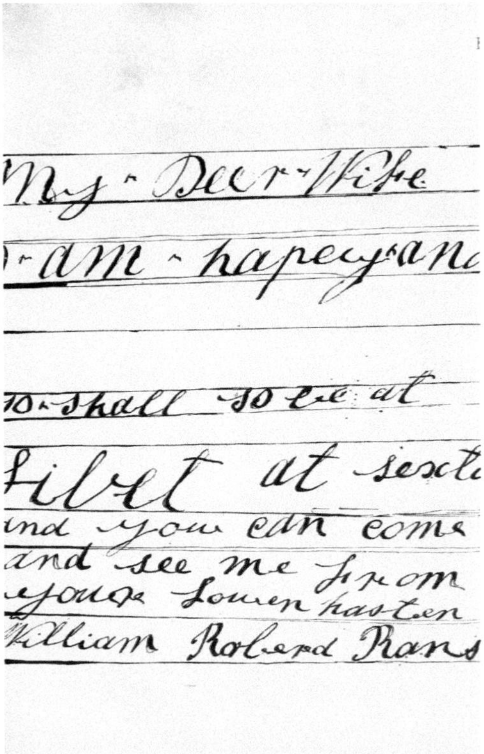
My Deer Wife
I am hapey and
we shall see at
Filet at sexte
and you can come
and see me from
your Lowen hasten
William Roberd Rans

EB YEPAH DAN
UOY NAC EMOC O
ROF OT EES E
DAN EW EPAH
YM REED EVO
DAN NOBSOGD

1820

Uma História da Terra e da Natureza Viva

A History of the Earth, and Animated Nature

Animais coloridos e fascinantes em imagens quase paradisíacas da vida natural

IDIOMA *Inglês*

Autoria

OLIVER GOLDSMITH

Ilustrações

J. STEWART

Publicação 1820

Uma *História da Terra e da Natureza Viva* é uma obra de história natural de Oliver Goldsmith, um romancista, dramaturgo e poeta anglo-irlandês, mais conhecido por seu romance *O Vigário de Wakefield*, seu poema pastoral *The Deserted Village* e suas peças *The Good-Natur'd Man* e *She Stoops to Conquer*. Publicado pela primeira vez em 1774 em oito volumes, *Uma História da Terra e da Natureza Viva* tentou reunir descrições de geografia e diversas espécies. Muitas outras edições da obra foram publicadas no final do século XVIII e ao longo do século XIX. Estas eram muitas vezes versões abreviadas do original, em três, quatro ou seis volumes. A edição abreviada em quatro volumes, com ilustrações coloridas, é de 1820. ✤

A HISTORY

OF THE

EARTH AND ANIMATED NATURE

BY

OLIVER GOLDSMITH.

12
3
11
10
2

4
5
1
9

J. Stewart Del.

1, AMERICAN BLACK SQUIRREL, 2, ARIEL PETAURUS, 3, SQUIRR

5, 6, GREY SQUIRREL, 7, COMMON BRITISH SQUIRREL,

J. Bower Sc.

L-LIKE PETAURUS, 4. LESSER AMERICAN FLYING SQUIRREL.

COMMON GROUND SQUIRREL, 9. AGIUMP SQUIRREL.

Período Edo

FOLCLORE JAPONÊS

Bakemono Zukushi

Folclore japonês com monstros e criaturas sombrias do período Edo

IDIOMA	*Japonês*
Autoria	DESCONHECIDO
Ilustrações	DESCONHECIDO
Publicação	PERÍODO EDO

Pergaminho japonês conhecido como o *Bakemono zukushi.*, cujos artista e data são desconhecidos, embora se saiba que seu pensamento venha do período Edo, em algum momento do século XVIII e XIX. Um dos possíveis artistas é Suekichi Hokusai. Em toda a sua extensão estão representados um macabro "yokai" do folclore japonês, conhecido como uma criatura esquisita e misteriosa, um monstro, um ser fantástico das terras fronteiriças, que vive na periferia da cidade ou nas montanhas entre as aldeias, e que assombra pontes e túneis, entradas e soleiras.

Entre os monstros *bakemono* descritos no pergaminho está o *rokurokubi*, uma mulher de pescoço comprido cujo nome significa literalmente "pescoço de polia". Apresenta-se com uma cabeça completamente "destacável", ou com a cabeça no final de um longo pescoço. A cabeça do *rokurokubi* tem a capacidade de voar independentemente do corpo.

Kami-kiri, o "cortador de cabelo", é um yokai conhecido por se esgueirar nas pessoas e lhes cortar os cabelos. O fenômeno do cabelo das pessoas sendo misteriosamente picado apareceu em muitas lendas urbanas, no período Edo em particular. ✤

夢の精霊
おどろし

髪切

1410

A FLOR DA BATALHA

Il Fior di Battaglia

Assim como nós, os antigos também liam manuais e *A Flor da Batalha* é um desses belíssimos guias com folhas de ouro como adorno

IDIOMA *Italiano*

Autoria

FIORE DEI LIBERI

Ilustrações

DESCONHECIDO

Publicação 1410

Il Fior di Battaglia foi escrito no início de 1400 pelo lendário mestre Fiore dei Liberi, e é a fonte mais completa e sistemática para o combate de cavalaria já escrita. Apenas quatro cópias manuscritas iluminadas deste tratado sobrevivem, e há registros de pelo menos duas outras cujos locais atuais são desconhecidos.

O livro cobre combate a pé, a cavalo, armado, sem armadura, desarmado e armado com adaga, espada, lança e archa. Cada seção começa com um grupo de Mestres Professores, cada um demonstrando um sistema de guarda em particular para usar com sua arma, seguidos por uma demonstração de técnica defensiva, e então variações dessa técnica. Em seguida, apresenta-se uma forma de como combater em defensiva. Em casos raros, é ensinado um contra-ataque.

As principais seções do trabalho incluem peças desarmadas, defesas desarmadas contra o punhal e jogadas de punhal contra o punhal, o uso da espada em uma mão, o uso da espada em duas mãos, o uso da espada na armadura, arremesso de lança e bastão, e combate montado.

o magro cũ queste spad' sĩgfica gli Setti colpi de la spada. E lli quatro animal
e auisameto / presteza / forteza / e ardimento / E chi uole esser bono in questa a
nuch de lor auer parte.

Meglio de mi louo ceruiero nõ uede
creatura / E a quello mette semp' a sesto
e a misura.

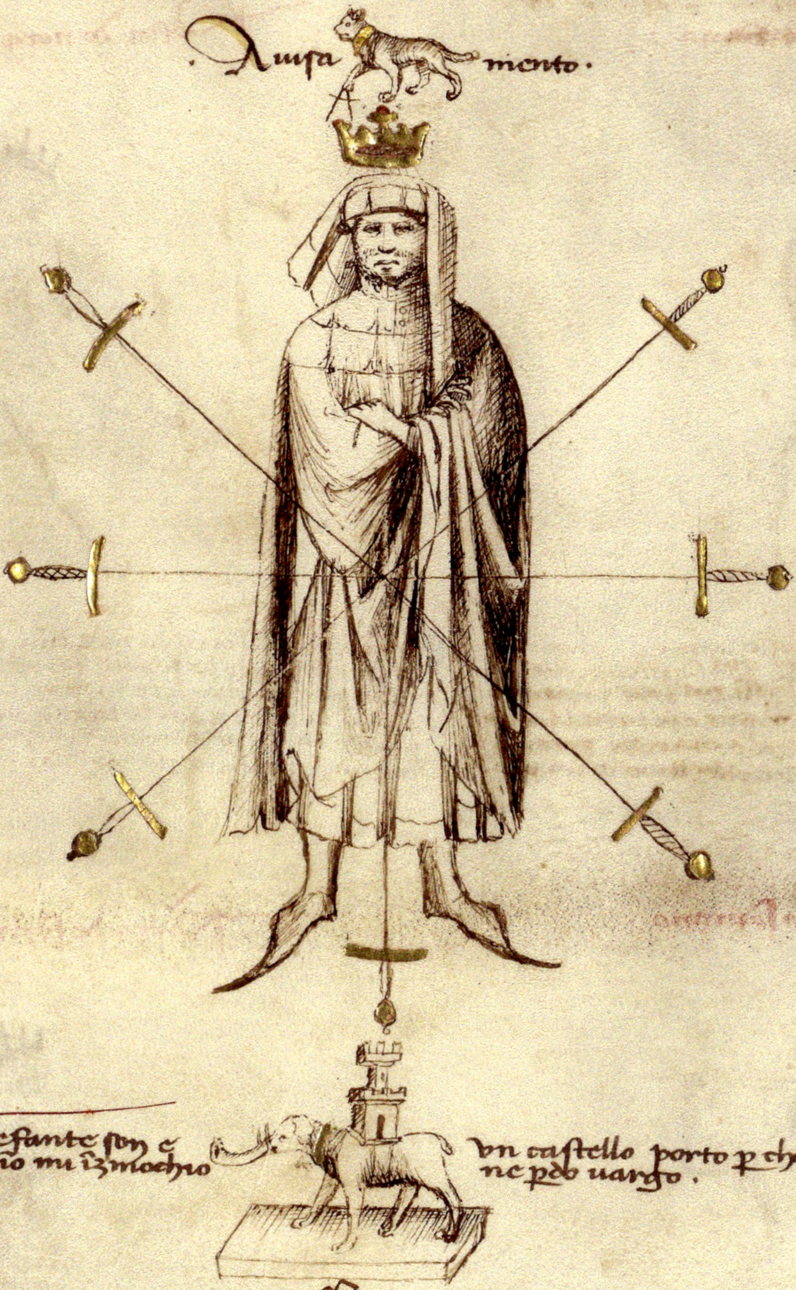

to son posto
ltare che
el cielo no
anzare.

eza.

Pui
fore
fazo

Ard

Ellefante son e
cño mi izinochio
un castello porto p chargo
ne p'o uargo.

Forteza.

Io porto mia lanza in posta di dente di zenghiaro p(er)che lo son ben armado, e si o curta lanza piu che lo compagno, e si fazo rasone de rebatter sua lanza fora de strada zoe ala traversa overo in erto. E si firiro cu(m) la mia lanza in la sua uno brazo in entro cu(m) uno brazo d(e) la mia hasta, e la mia lanza discorrera in la sua p(er)sona. E la sua lanza andara fora de strada lonze de mi e p(er) tal modo faro.

Questa glosa va al Re di q(ui)

Questo si e lo contrario dello zogho de lanza che denanzi che quando uno corre contra laltro a ferri moladi, e uno a curta lanza piu che laltro. Quado quello che a curta lanza porta la sua lanza bassa in dente di zenghiaro quello che a la lanza longa debia simile mente portarla bassa la sua. p(er)che la curta no(n) possa rebatter la longa p(er) lo modo che qui e depento.

Queste zinque figure sono le guardie de la daga. E tale è bona in arme, e tale è senza arme, E tale è bona in arme e senza arme. e tale è bona in arme e noy sen[...] E tutte queste noy dechiaremo.

o son tutta porta di ferro e son sempia. E son bona in arme e senza. per che io posso rebatter e far cũ presa e senza, E posso zugare cũ daga e senza e far mie couerte.

E son tutta pota di ferro e son dopia in arme e senza. e pur meglior e son senza. e cũ tal guardia nõ posso usa[...]

E son meza porta di ferro e son dopia incrosada. E son bona in arme e nõ senza p che nõ posso far longa couerta, e posso couerir de sopra e de sotto, de man dritta e de man riuersa cũ daga e senza.

Io son mezana pota de ferro cũ la daga in mano e son dopia, e la meglore e la piu forte de tutte le altre. E son bona in arme e senza, e posso couerir de sotto e de sopra ꝛ ogni pte.

E son tutta porta di ferro [...] crosada e son dopia. e son i[...] e in arme io son bona e fort[...] arme io nõ son suffiziẽte p[...] couerir longo.

1840

A DANÇA DA MORTE

La danse des morts à Bâle

Nem mesmo o Rei escapa da morte. Esta é a premissa dos antigos livros da Dança Macabra, que levam qualquer personagem vivo para o túmulo

A morte chega para todos. Este é o lema da *Dança Macabra*, que possui diversas edições com primorosos ilustradores diferentes. Nesta edição multi-idiomas em francês, alemão e inglês, a morte se encontra com 40 personagens diferentes, como um músico, uma jovem donzela, o Rei, o padre, o palhaço, o cozinheiro, o sapateiro, o chinês, o cavaleiro e até mesmo o próprio executor. Edição com 88 páginas publicada por Fr. Wentzel.

IDIOMA *Vários*

Autoria

ANÔNIMO

Ilustrações

JR. HOLBEIN

Publicação 1840

6.

Der Tod zur Königin.

Frau Königin! euer Freud ist aus,
Springet mit mir ins Todtenhaus.
Euch hilfft kein Schöne, Gold noch Geld,
Ich spring mit euch in jene Welt.

Antwort der Königin.

O Weh und Ach, o weh und nimmer!
Wo bleibt jetzund mein Frauenzimmer?
Mit denen ich hat Freuden viel:
O Tod, thu gmach, mit mir nicht eil.

Lith. de Fr. Wentzel à Wissembourg.

LA MORT À LA REINE.

Reine, le temps des jeux est passé sans retour;
Il faut m'accompagner dans les demeures sombres;
Vos attraits, vos joyaux et vos flatteurs de cour
Ne doivent point vous suivre au rendez-vous des ombres.

RÉPONSE DE LA REINE.

Hélas! l'heure est venue, il faut quitter la vie;
De tout ce que j'aimois il faut me départir;
O mort! plus doucement, du répit, je t'en prie,
Laisse-moi vivre assez pour apprendre à mourir.

DEATH TO THE QUEEN.

Lady queen, your joy is out,
Leap with me to the charnel house,
No beauty helps you neither cash nor gold,
I jump with you in the other world.

ANSWER OF THE QUEEN.

O woe! o ah! o woe! and ever,
Where tarry now my genteel women,
On whom I had my greatest taste.
O death do gently with me not haste.

12.

Der Tod zum Abt.

Herr Abt! ich zieh euch die Ifflen ab,
Deßhalb nutzt euch nicht mehr der Stab:
Sind ihr gewesen ein guter Hirt
Sie eurer Schaaf, die Ehr euch wird.

Antwort des Abts.

Ich hab mich als ein Abt erhebt,
Und in hohen Ehren g'lebt:
Auch setzt sich niemand wider mich,
Dannoch bin ich dem Tode gleich.

Lith de Fr. Wentzel à Wissembourg.

LA MORT A L'ABBÉ.

Sire Abbé, dépouillez cette riche parure;
Si vous avez fidèlement
A tout votre troupeau donné la nourriture,
Son salut dans le ciel sera votre ornement.

RÉPONSE DE L'ABBÉ.

En véritable Abbé j'ai vécu, je l'espère;
Grossissant de mon mieux le trésor du couvent,
Sévère sur mes droits, du reste bon vivant:
Pourquoi donc m'interrompre en train de si bien faire?

DEATH TO THE ABBOT.

Sir abbot I draw you the mitre off,
Therefore, no more you want your staff;
Have you a good pastor been,
You are the glory of your flock I mean.

ANSWER OF THE ABBOT.

To an abbot myself I raised,
And lived in honour and was praised,
Th'o nobody opposed me,
Still, equal now to death I be.

Lith. de Fr. Wentzel à Wissembourg

LA MORT AU ROI.

n'est point ici-bas de puissance éternelle,
ire Roi ; venez donc, appuyé sur mon bras,
enez vite grossir la bande fraternelle,
ù, le front dépouillé, dansent les potentats.

RÉPONSE DU ROI.

J'ai vécu redouté, puissant autant que bra
Et sous mon joug d'airain haletoit l'Univer
Il est libre à présent, et je deviens esclave
De la puissante mort je vais porter les fers

1785

Fogos de Artifício

Artificial fireworks

Escrito a mão e ilustrado, o tratado com designs de fogos de artifício e sua manufatura é um espetáculo ao alcance das mãos

Com desenhos técnicos explosivos, o livro de 232 páginas de John Maskell foi produzido em 1785 e, em cada capítulo, explica com receitas como criar diferentes tipos de fogos de artifício. Em uma época em que lojas com estes brinquedos adultos estavam longe do alcance da maioria da população, Maskell explica como criar, por exemplo, o *Fruiloni*, *Vertical Wheel* e *Sky Rocket*. O livro demonstra todo o passo a passo com diagramas e tabelas.

IDIOMA *Inglês*

Autoria

JOHN MASKELL

Ilustrações

JOHN MASKELL

Publicação 1785

Na época de sua criação, na Ásia, os fogos de artifício eram conhecidos por espantar maus espíritos com seu altíssimo som. ✤

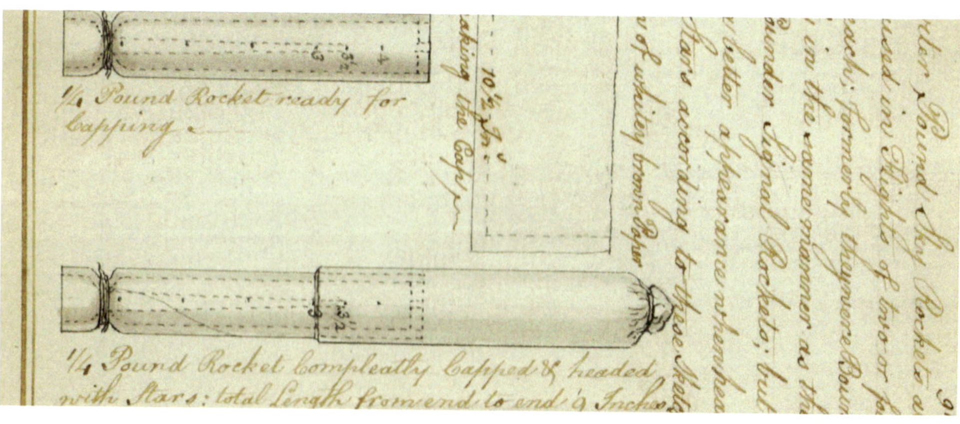

Artificial Fireworks.

Fruilom Wheel.

The Wheel consists of Beech wood, having a nave and 12 Spokes, Viz.t 6 above and 6 below; the Spokes are glewed into the Nave, and are hollowed at the outward ends to receive the Cases; the Spokes are set so as to Form returning Angles.

Dimensions.

	Ins. 10.ths
a b	1,25.
a c	5,00.
e f	1,75.
e g	1,56.
i k	0,50.
h i	1,56.
l m	0,312.
n o	0,437.
p i	1,00.
q u	0,437.
r s Brass thimble	0,50.
t d	0,75.

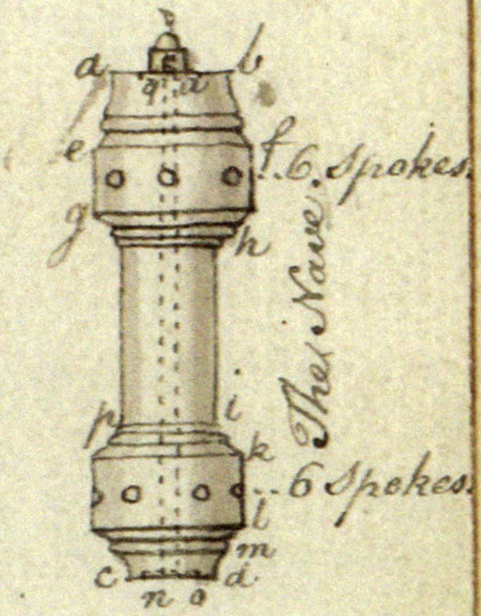

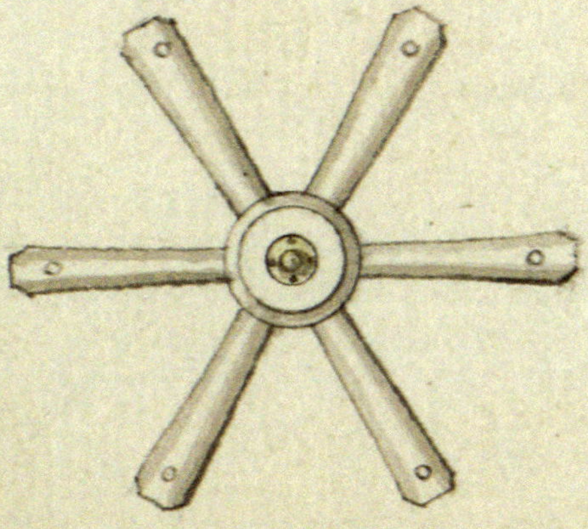

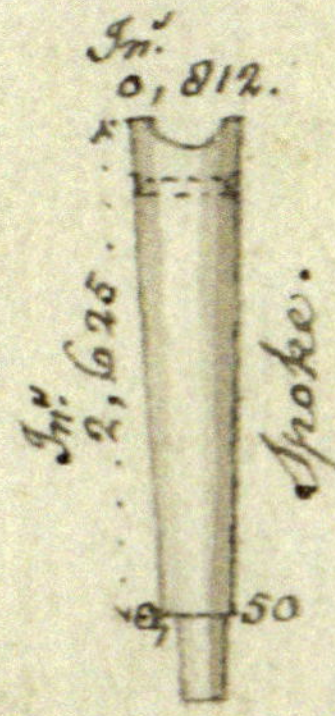

This is the true Proportion from a Half to a Six Pounder, and the whole Length of the Rocket headed with it's Cylinder and Cone is exactly 9 Callibers and $\frac{4}{10}$ of a Calliber; the Choke is $\frac{2}{3}$ of a Calliber and the thickness of Paper set off from the upper turn of Packthread to Measure from

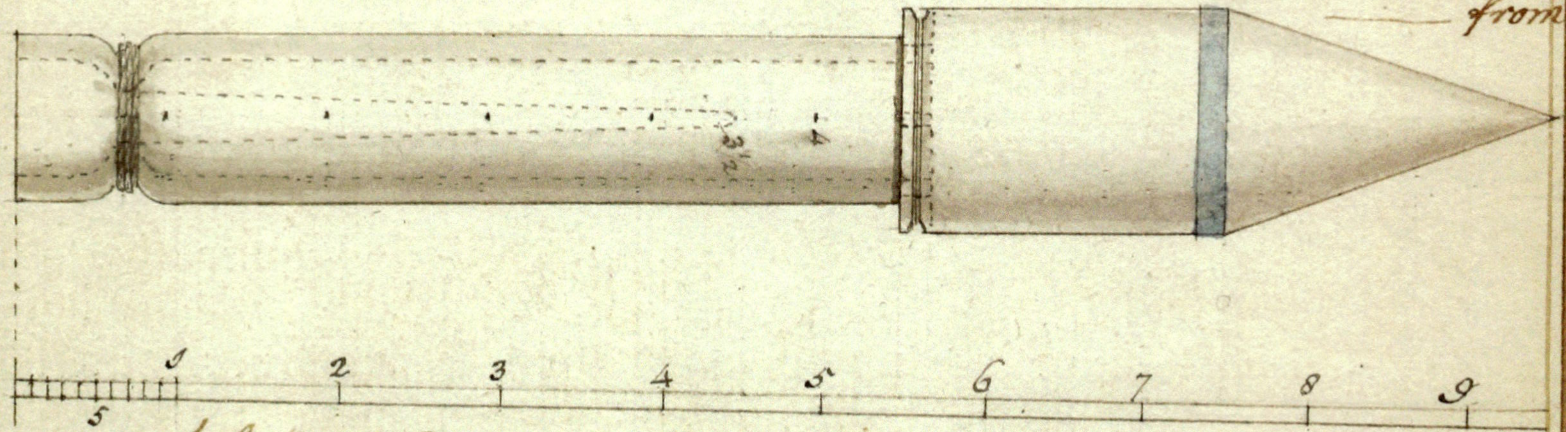

A Scale of Callibers, each Calliber equal the Diam.r of the Rocket.

hoped fully explain the foregoing Descrip-
tion.

Front of the Box.

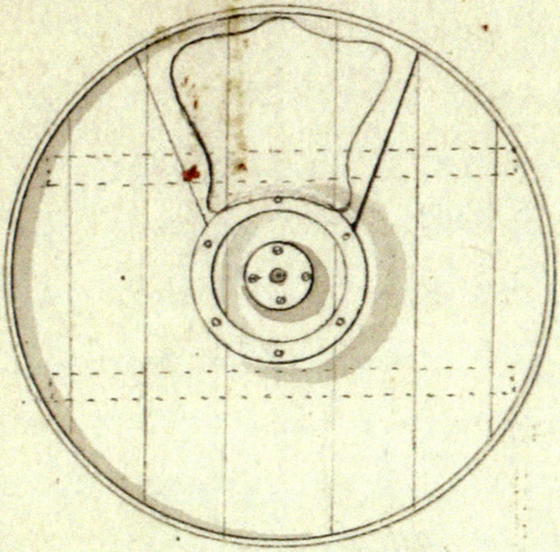

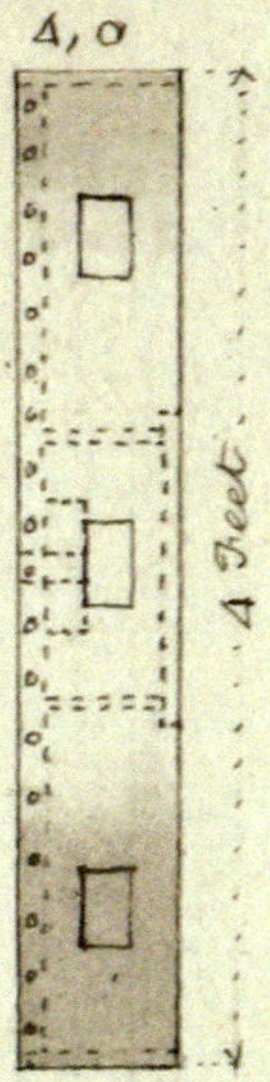

For A 2 Ounce Wheel.

6 Holes round the Hoop to let out the Smoke. 3 In: long by 1/2 In: wide.

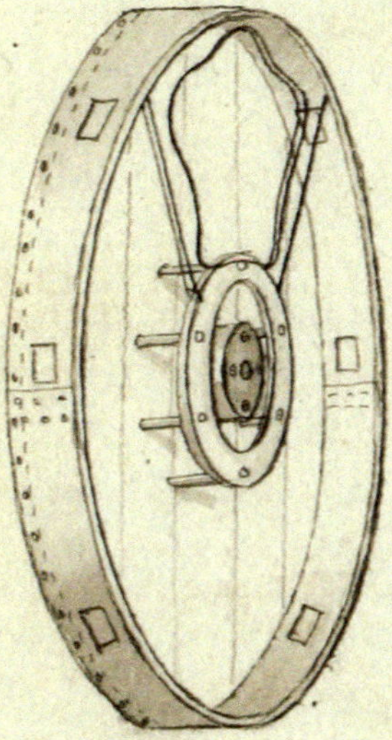

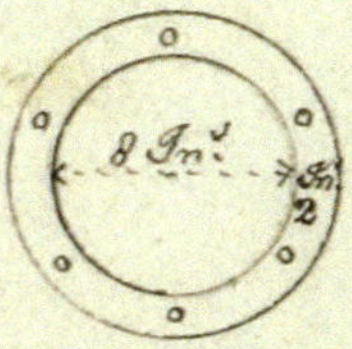

Small inward Circle – Fir and the 6 Pins Beech.

Center Block. Elm.

The 6 Feet Boxes are made exactly in the same manner; only the Center Block is larger, the inward Circle larger and the hoop deeper, all which must be regulated by the Wheel.

1854

ORNITOLOGIA BRASILEIRA

Ornithologie Brésilienne

Tucanos, araras e abutres imortalizados em um livro escrito em francês e editado no Rio de Janeiro

IDIOMA *Francês*

Autoria

JEAN THÉODORE DESCOURTILZ

Ilustrações

WATERLOW AND SONS

Publicação 1854

Dentre os muitos naturalistas estrangeiros que passaram pelo Brasil ao longo do século XIX, estava Jean Théodore Descourtilz, ornitólogo francês que tinha por objetivo conhecer e registrar a biodiversidade do país. Durante muito tempo, ele trabalhou como pesquisador para o Museu de História Natural, sediado no Rio de Janeiro, publicando três importantes obras sobre a fauna brasileira nesse período. Dentre elas, a *Ornitologia Brasileira*, originalmente publicada em quatro fascículos e que reproduz mais de 160 espécies de pássaros brasileiros. Aliados aos seus desenhos ricamente ilustrados, Théodore complementou seu trabalho com informações que revelaram os hábitos, comportamento e habitat de muitas aves.

7
ARA ARACANGA &
—— CRYSSOSEMA
LONDON; WATERLOW & SONS CHROMO LITHOGRAPHERS

SARCORAMPHUS PAPA
PERCNOPTERUS JOTA
LONDON, WATERLOW & SONS CHROMO-LITHOGRAPHERS

1296

PENTATEUCO DE ROTHSCHILD

Rothschild Pentateuch

Com figuras híbridas, animais e humanóides, o Pentateuco é um incrível manuscrito sobrevivente do período medieval

Colorido, fantástico e bem-conservado, o *Pentateuco de Rothschild* é bastante diferente das outras produções hebraicas medievais. Com centenas de folhas iluminadas, em mais de 1000 páginas, é hoje conhecido com uma das Bíblias medievais mais elaboradas e criativas.

O manuscrito possui o texto sagrado do Judaísmo, que é composto pelos cinco livros: Gênesis, Êxodo, Levítico, Números e Deuteronômio.

IDIOMA *Hebraico*

Autoria

ELIJAH BEN MESHULLAM

Ilustrações

DESCONHECIDO

Publicação 1296

Dois escribas assinaram o projeto, sendo Elijah ben Meshullam e Elijah ben Jehiel, e o nobre que contratou o *Pentateuco* é Joseph ben Joseph Martel. Diferente de muitos livros também da época, o manuscrito contém diversas informações sobre sua criação, inclusive a data em que foi completado, em 17 de junho de 1296.

As aberturas monumentais e ricamente ilustradas com animais, plantas e monstros tornaram este livro um tesouro original e criativo sem precedentes.

וכתיב ביה יי' אלהים כתב בשמו אדני יי' וסימ'
אדני יי' במה ארע כי אירשנה אדני יי' אתה החלות להראות את עבדך את
ואמר אדני יי' אל תשחת עמך ונחלתך ואני

ואתחנן אל יי'
[א]ין חנון בכל מקום אלא לשון
ד"א זה אחד מעשרה לשונות
שיש לצדיקים לתלות במעשיהם
שין מאת המקום אלא מתנת
ד מעשרה לשונות שנקר' ת'
מספרי בעת ההיא לאחר שכבשתי
ע' דימיתי שמא הותר הנדר ואומר
ונות סיחון ועשה לפני המקום יי'
יום התענית שלשה יום ויום

אל
יהוה בעת
ההוא לאמר אדני
יהוה אתה החלות להראות

ויאמר המלך· ויאמר אליו בלק· ויאמר לו לך ונקרבה· לך נתראה פנים· ודברי
הימים· וכל לדוריה רכות· בכור מל· וסימניהון· ולך אפיא מדה
אעשה בני· אין בשורה מוצאת· שמלה לך קצין· ולכה לישועתה לנו· ל·

יהוה
אל אברם לך
לך מארצך וממ
ולדתך ומבית אביך
אל הארץ אשר אראך׃

לאברם איזיל
לך מארעך ומילד
ותך ומבית
אבוך לארעא די
אחזינך׃

ויאמר [illegible]

אראך·
לך ואראך את הארץ· וסימניהון· אל הארץ אשר אראך· ויאמר כל
וממולדתך ל· האיש אשר אתה מבקש· אני אראך· לך לך· ל·
את רפאים· ל· ואת הנפש· ל· ולרחבה ל· אמרפל· ל·
בהם ל· החורים· ל· האימים· ל· ברשע· ל·

וידבר יהוה
אל משה
לאמר שלח לך
אנשים ויתרו את ארץ
כנען אשר אני נתן לבני
ישראל איש אחד איש
אחד למטה אבתיו תש
תשלחו כל נשיא בהם

ומליל יי
למשה למימר
שלח
לך גברין ויאללון
ית ארעא דכנען די
אנא
יהיב לבני ישראל
גבר חד גבר חד
לשבטא
דאבהתהי תשלחון
כל רבא דבהון

שלח
לך אנשים. למה נסמכה
פרשת מרגלים לפרשת מרים
שלקתה על עסקי דבה שדברה באחיה
ורשעים הללו ראו ולא לקחו מוסר: שלח
לך
לדעתך אני איני
מצוה לך אם תרצה שלח. לפי
שבאו ישראל ואמרו נשלחה אנשים
כמ' שכתוב ותקרבון אלי כלכם וגו' ומשה
נמלך
בשכינה אמר אני
אמרתי להם שהיא טובה
שנאמר אעלה אתכם מעני מצרים אל ארץ הכנעני וגו' חייהם שאני נותן להם מקום לטעות בדברי מרגלים למען לא יירשוה: על פי י"ב נשיאות הדקים:

בהון ח מלין מז ב
ים את שמן את זמי כי וגם זה לך
כן לא בא׳ גם לי גם לך לא

שמיע הקלת בני

ח

וישמע
יתמו ׳ קריעת ים סוף ׳ וזלו
עולה ׳ יתמו שמע שרות בקרבו
יתמו יתמו ׳ חווב חמו קני פטורין ׳ י
שיתמו

השמים ואדברה ותשמע
הארץ אמרי פי
יערת כמ
כמטר לקחי
תזל כטל
אמרתי כשעירים
עלי דשא
וכרביבים עלי עשב
כי שם
יהוה אקרא

שמייא ואימליל ותשמע ארעא א
אימרי פומי
יתבסם כמיטר
אולפני
יתקבל כטלא
מימרי
כרוחי מיטרא מנשבי
על דיתאה
וכרסיסין
עלי עשבא
ארי
בשמא דיי את
אנא
מצלי

האזינו
השמים ואדברה שאני
מתרה בהם בישראל ותהיו עדים בדבר שכן
אמרתי להם שאתם תהיו עדים וכן ותשמע הארץ
ולמ׳ העיד בהם שמים וארץ אמ׳ משה אני בשר
ודם למחר אני מת אם יאמרו ישר׳ לא קבלנו עלינו
הברית מי בא ומכחישם לפיכך העיד בהם עדים קיימין
לעולם ועוד שאם יזכו יבואו העדים ויתנו שכרם
הגפן תתן פריה והארץ תתן יבולה והשמים יתנו
ואם יתחייבו יהיו בהם יד העדים תחלה
ועצר את השמים ולא יהיה מטר
והאדמה לא תתן
ואבדתם מהרה
על ידי האומות

[illegible]

1658

SOBRE BESTAS E SERPENTES

The history of four-footed beasts and serpents

Hidras, mantícoras, unicórnios e dragões em mais de 1000 páginas e centenas de gravuras

Publicado em 1658, o volume de 1000 páginas contempla *The History of Four-footed Beasts* (1607), traduzido de *Historia animalium*, de Gesner, *The History of Serpents* (1608) e *The theatre of insects* (1658) do clérigo Edward Topsell. O livro explora o fantástico, o mítico e os animais reais, e seu texto se envereda pelas imaginações e crenças de época, como "os elefantes cultuam o sol e a lua, e têm seus próprios rituais", "macacos têm pavor de lesmas" e "o chifre do unicórnio ajuda muito contra venenos". Apesar das alegações míticas, o livro de Topsell é um vislumbre da ciência moderna, dos dados de observação e possui a regra rudimentar de situar a alegação através da suposição, comenta John Lienhard, da Universidade de Houston.

IDIOMA *Inglês*

Autoria

EDWARD TOPSELL

Ilustrações

DESCONHECIDO

Publicação 1658

THE HISTORY OF Four-Footed Beasts.

The *ANTALOPE.*

THE *Antalope* called in Latin *Calopus*, and of the Grecians *Analopos*, or *Aptolos*: of this beast there is no mention made among the Ancient Writers, except *Suidas*, and the Epistle of *Alexander* to *Aristotle*, interpreted by *Cornelius Nepotius*. They are bred in *India* and *Syria*, neer the River *Euphrates*, and delight much to drink of the cold water thereof: Their body is like the body of a *Roe*, and they have horns growing forth of the crown of their head, which are very long and sharp; so that *Alexander* affirmed they pierced through the shields of his Souldiers, and fought with them very irefully: at which time his company slew as he travelled to *India*, eight thousand five hundred and fifty; which great slaughter may be the occasion why they are so rare, and seldom seen to this day, because thereby the breeders and means of their continuance (which consisted in their multitude) were weakned and destroyed. Their horns are great, and made like a saw, and they with them can cut asunder the branches of Osier or small trees, whereby it cometh to passe that many times their necks are taken in the twists of the falling boughs, whereat the Beast with repining cry, bewrayeth himself to the Hunters, and so is taken. The virtues of this Beast is unknown, and therefore *Suidas* saith, an *Antalope* is but good in part. Countrey of breed.

Of

Of the DRAGON.

1856

A GRAMÁTICA DOS ORNAMENTOS

The Grammar of Ornament

Árabes, Italianos e Renascentistas, os padrões de cada Era da Arte compreensíveis e contrastantes

A *Gramática dos Ornamentos* é uma obra de arte de Owen Jones, um arquiteto britânico e um dos mais influentes teoristas em design do século XIX. Auxiliou na modernização da teoria das cores, e seus padrões planos ainda inspiram os designers contemporâneos.

Owen viajou por muitas cidades antigas da Europa e Oriente Médio para ajudar na criação de seus desenhos.

Trabalhando como superintendente na Great Exhibition of the *Works of Industry of All Nations*, uma mega-feira vitoriana em 1851, Jones manteve um próximo relacionamento profissional com Henry Cole, que se tornou o primeiro diretor do *South Kensington Museum*, em Londres. Com esse contato, Jones pôde apresentar suas teorias em decoração, ornamento e policromia em várias palestras na *Society of Arts*.

Ele afirma que o princípio das criações que dita os projetos de todo o mundo são as formas encontradas na natureza.

O resultado de seu trabalho teórico e prático é um dos melhores livros de design gráfico já produzidos.

IDIOMA *Inglês*

Autoria

OWEN JONES

Ilustrações

OWEN JONES

Publicação 1856

The Grammar of Ornament

TAFEL XXXVIII

TURKIS

SH N°. 3

TURCS

PL.XXXVIII

TURKISCH TURKISH N° I TURCS

TAFEL XXXVI PL. XXXVI

2
3
4
5
6
7
8
9
11
12
13

1849

ATLAS DO CORPO HUMANO

An atlas of anatomical plates of the human body

Escrito em inglês e urdu, o Atlas Anatômico se tornou um marco na história da Índia

Frederic John Mouat foi um cirurgião britânico, químico, professor e reformador prisional. Se juntou como assistente de cirurgião ao *Indian Medical Service* em 1840, em Bengala, na Índia.

Colesworthey Grant, o ilustrador das incríveis – e bizarras – gravuras em pedra, foi um artista inglês, escritor e ativista pioneiro contra crueldades animais na Índia.

Em conjunto com Moonshee Nusseerudin Ahmed, eles criaram o primeiro livro de anatomia escrito em urdu e inglês. A obra, de grande valor científico e artístico, foi impressa em 1849.

IDIOMA *Inglês*

Autoria

FREDERIC J. MOUAT

Ilustrações

COLESWORTHEY GRANT

Publicação 1849

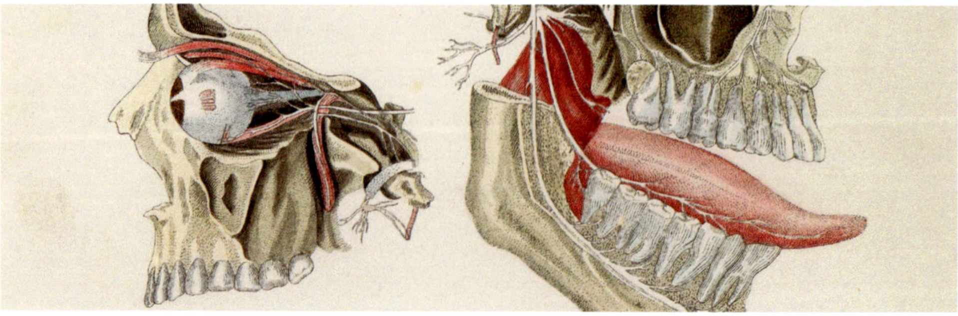

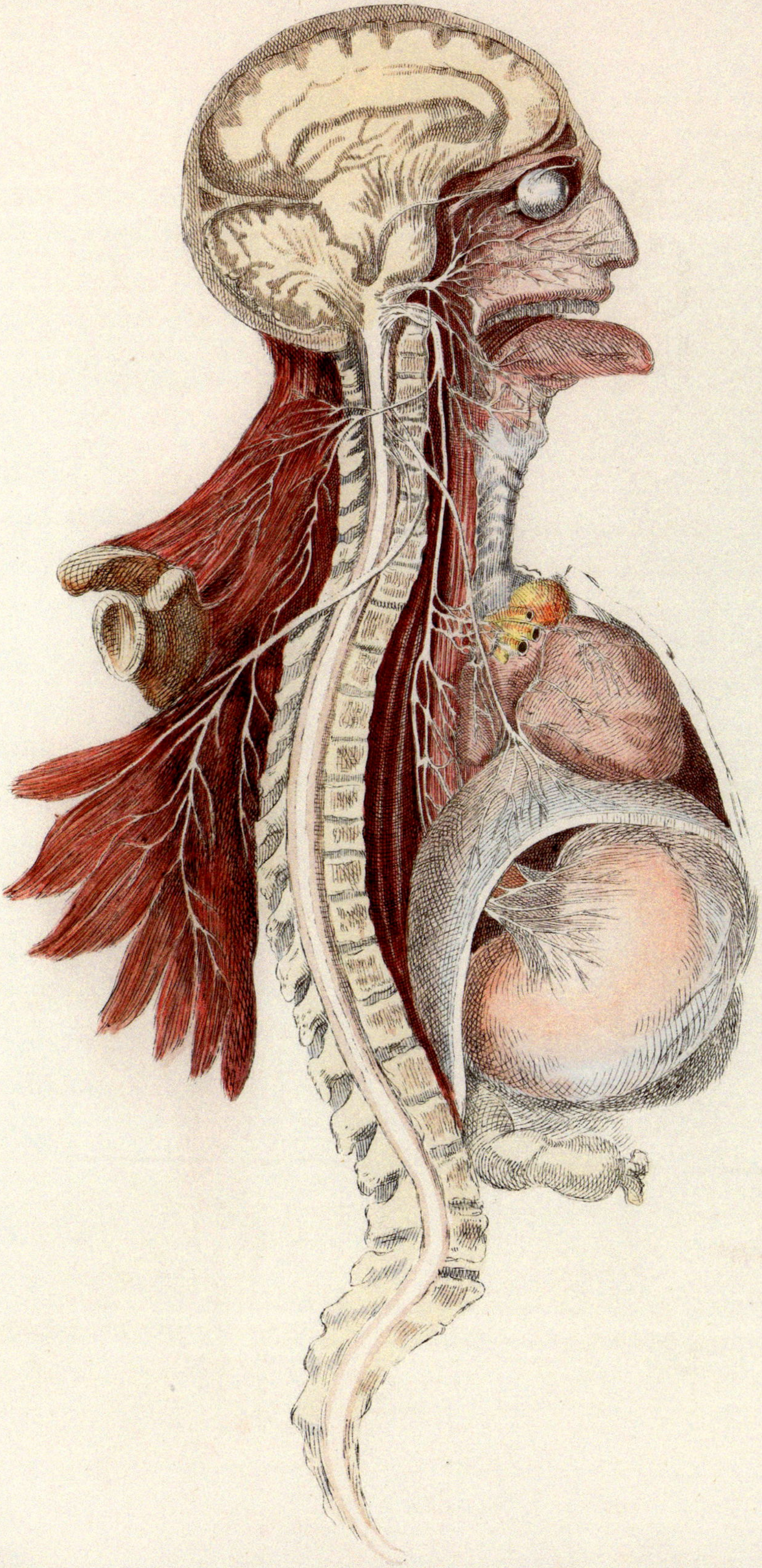

تصویر ۳۳

1

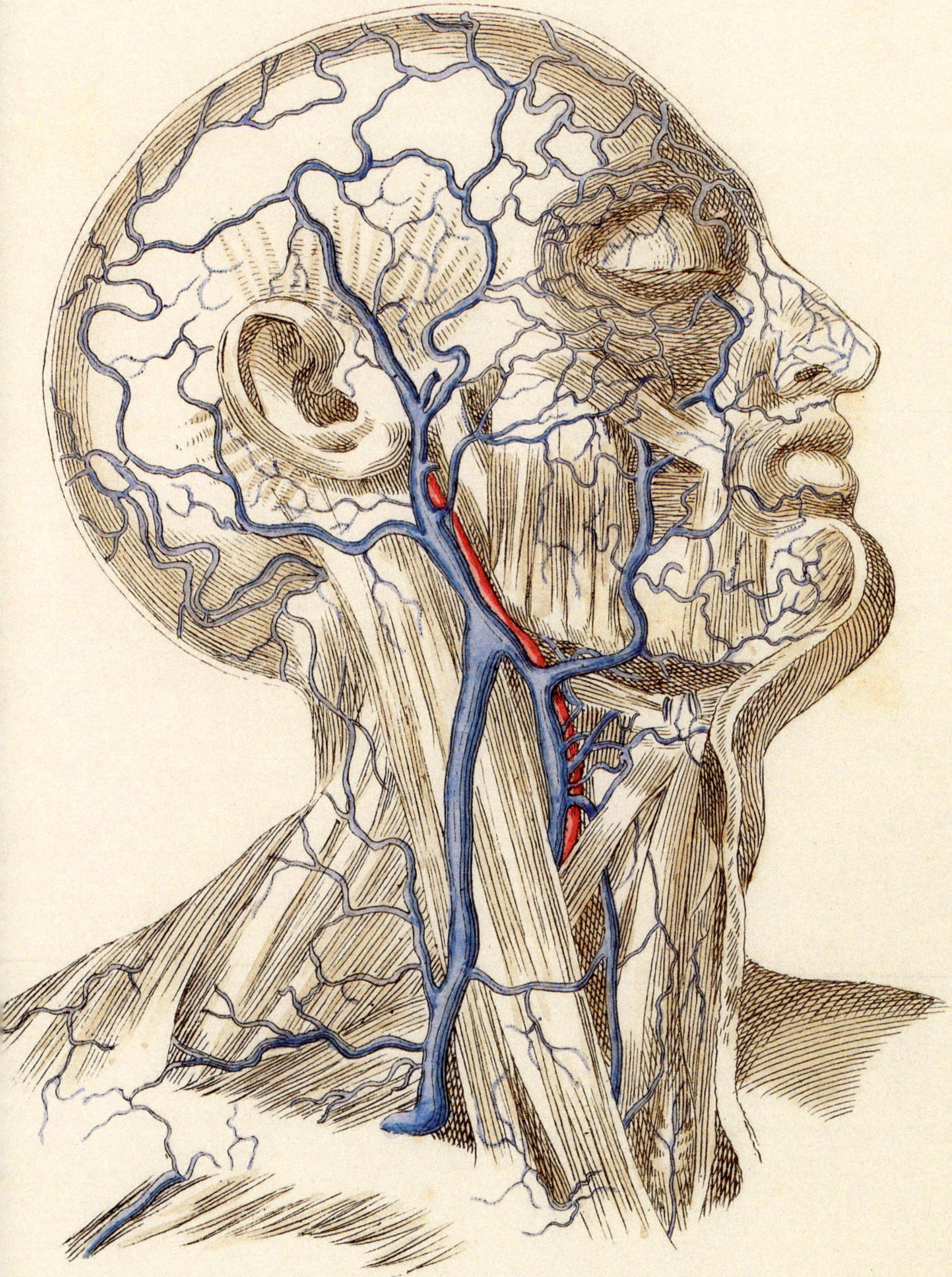

1810

Vestuários gregos, romanos e egípcios

An illustration of the Egyptian, Grecian and Roman costumes

Os vestuários de povos antigos pelo olhar artístico de um pintor de porcelanas

Pintor de porcelanas e ilustrador, Thomas Baxter foi instruído inicialmente pelo pai e então estudou na Royal Academy, uma instituição de arte em Londres. Em seu livro sobre a moda egípcia, romana e grega, são detalhados vestuários, peças e adornos, em algumas páginas de forma bastante artística. Mais tarde, fundou sua própria academia de arte. ✤

IDIOMA *Inglês*

Autoria

THOMAS BAXTER

Ilustrações

THOMAS BAXTER

Publicação 1810

Three Grecian Heads

Greek Warrior

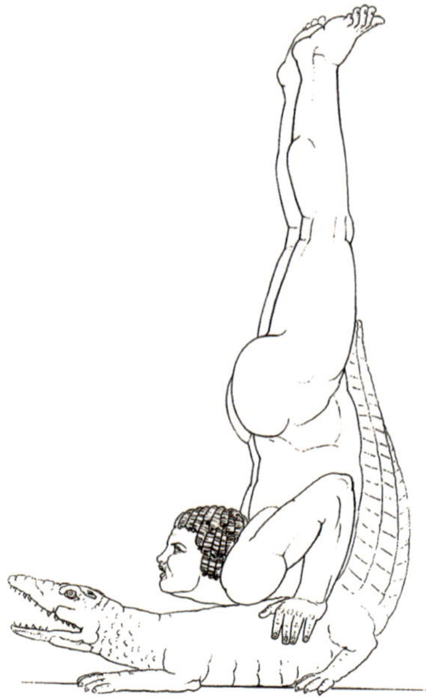

Egyptian Tumbler

Greek Tumbling

T. Baxter del.

Faun & Bacchante
T. Baxter del. et sculp.

T. Baxter del. et sculp.

1889

O DESFILE DOS CEM DEMÔNIOS JAPONESES

河鍋暁斎画 『暁斎百鬼画談』

Feito em impressão xilográfica, comum no Japão, a obra de Kawanabe Kyōsai revela visões fantásticas e sombrias de demônios coloridos

Em um livro publicado no início do período Meiji, Kawanabe criou a visão de dezenas de demônios folclóricos em desfiles coloridos, como se pudessem explodir para o mundo comum dos humanos. Kawanabe é considerado um dos primeiros caricaturistas políticos e autor de revistas mangá do Japão. Uma visão fantasmagórica do sobrenatural em páginas duplas de um livro artístico e inovador. ✤

IDIOMA *Japonês*

Autoria

KAWANABE KYŌSAI

Ilustrações

KAWANABE KYŌSAI

Publicação 1889

1864

AS AVENTURAS DE ALICE NO SUBTERRÂNEO

Alice's Adventures Under Ground

Um dos maiores tesouros literários juvenis é *Alice no País das Maravilhas*, e este é seu manuscrito original ilustrado por Lewis Carroll

IDIOMA *Inglês*

Autoria

LEWIS CARROLL

Ilustrações

LEWIS CARROLL

Publicação 1864

Lewis Carroll é o pseudônimo literário do Reverendo Charles Lutwidge Dodgson, um professor de matemática em Oxford. Foi em 1856 que conheceu Alice Liddell, que inspiraria um dos clássicos infanto-juvenis mais conhecidos desde então.

A história começa com as *Aventuras de Alice no Subterrâneo*, que foi contada a Alice e suas irmãs num passeio. As crianças adoraram tanto o enredo, que Alice pediu que Dodgson o escrevesse para ela. Escrito em uma tinta marrom e com 37 ilustrações, o manuscrito foi um presente à menina no Natal de 1864.

O reverendo foi então encorajado a publicar o manuscrito, e fez algumas alterações na história. O novo livro, preparado para publicação, foi *Alice no País das Maravilhas*, editado em 1865.

O manuscrito está atualmente na British Library, na Inglaterra. Alice o manteve até 1928 quando foi forçada a vendê-lo para pagar dívidas do falecimento de seu marido. O manuscrito foi vendido para o Dr. Rosenbach por 15 mil libras, que então o revendeu para Eldridge Johnson.

Alice's
Adventures
under
Ground

7 11

quite dull and stupid for things to go on in the common way.

So she set to work, and very soon finished off the cake.

*   *   *   *   *

"Curiouser and curiouser!" cried Alice, (she was so surprised that sh quite forgot how to speak good English,) "now I'm opening out like the largest telescope that ever was! Goodbye, feet!" (for when she looked down at her feet, they seemed almost out of sight, they were getting so far off,) "oh, my poor little feet, I wonder who will put on your shoes and stockings for you now, dears? I'm sure I can't! I shall be a great deal too far off to bother myself about you: you must manage the best way you can — but I must be kind to them", thought Alice, "or perhaps they won't walk the way I want to go! Let me see: I'll give them a new pair of boots every Christmas."

And she went on planning to herself how she would manage it:

Chapter IV

A large rose tree stood near the entrance of the garden: the roses on it were white, but there wer three gardeners at it, busily painting them red. This Alice thought a very curious thing, and she went near to watch them, and just as she came up she heard one of them say "look out, Five! Don't go splashing paint over me like that!"

"I couldn't help it," said Five in a sulky tone, "Seven jogged my elbow."

On which Seven lifted up his head

Quando Johnson faleceu em 1946, o manuscrito foi novamente leiloado e comprado por um grupo abastado de benfeitores, que o doou para o British Museum em 1948, em gratidão à valentia do povo inglês contra Adolf Hitler durante a Segunda Guerra Mundial. ✤

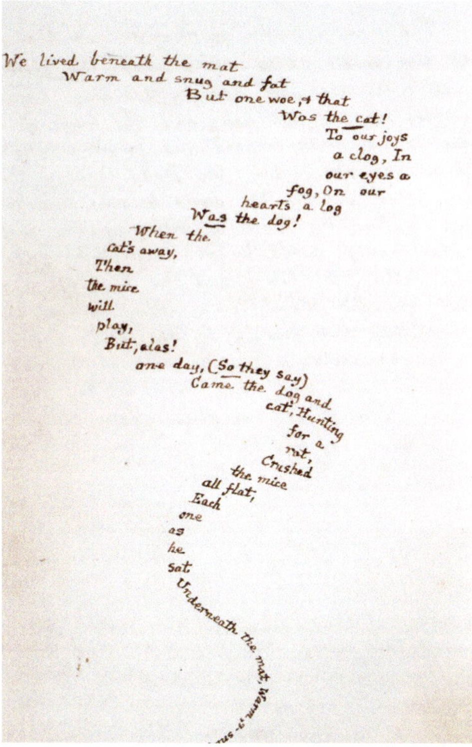

We lived beneath the mat
Warm and snug and fat
But one woe, & that
Was the cat!
To our joys
a clog, In
our eyes a
fog, On our
hearts a log
Was the dog!
When the
cat's away,
Then
the mice
will
play,
But, alas!
one day, (So they say)
Came the dog and
cat, Hunting
for a
rat,
Crushed
the mice
all flat,
Each
one
as
he
sat
Underneath the mat, Warm & snug

Chapter I

Alice was beginning to get very tired of sitting by her sister on the bank, and of having nothing to do: once or twice she had peeped into the book her sister was reading, but it had no pictures or conversations in it, and where is the use of a book, thought Alice, without pictures or conversations? So she was considering in her own mind, (as well as she could, for the hot day made her feel very sleepy and stupid,) whether the pleasure of making a daisy-chain was worth the trouble of getting up and picking the daisies, when a white rabbit with pink eyes ran close by her.

There was nothing very remarkable in that, nor did Alice think it so very much out of the way to hear the rabbit say to itself "dear, dear! I shall be too late!" (when she thought it over afterwards, it occurred to her that she ought to have wondered at this, but at the time it all seemed quite natural); but when the rabbit actually took a watch out of its waistcoat-pocket, looked at it, and then hurried on, Alice started to her feet, for

and her eyes immediately me[...] those of a large blue caterpillar, which was sittin[g] with its arms fo[ld]-ed, quietly smok[ing] a long hookah, an[d] taking not the lea[st] notice of her or of anything els[e].

For some time they looke[d] at each other in silence: at las[t] the caterpillar took the hookah out of its mouth, and languidly addressed her.

"Who are you?" said the caterpillar.

This was not an encouraging opening for a conversation: Alice replied rather shyly, "I — I hardly know, sir, just at present — [a]t least I know who I was when I got [u]p this morning, but I think I must have [b]een changed several times since that."

"What do you mean by that?" said the caterpillar, "explain yourself!"

"I can't explain myself, I'm afraid, sir,

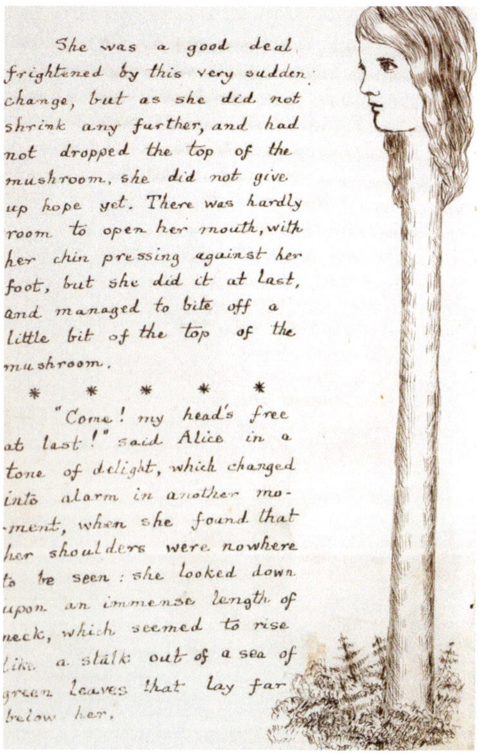

She was a good deal frightened by this very sudden change, but as she did not shrink any further, and had not dropped the top of the mushroom, she did not give up hope yet. There was hardly room to open her mouth, with her chin pressing against her foot, but she did it at last, and managed to bite off a little bit of the top of the mushroom.

* * * * *

"Come! my head's free at last!" said Alice in a tone of delight, which changed into alarm in another moment, when she found that her shoulders were nowhere to be seen: she looked down upon an immense length of neck, which seemed to rise like a stalk out of a sea of green leaves that lay far below her.

he dream, as it were,) how this same li
would, in the after-time, be herself a
woman: and how she would keep, throu
riper years, the simple and loving hea
er childhood: and how she would gath
er other little children, and make the
bright and eager with many a wonderf
perhaps even with these very adventu
the little Alice of long-ago: and ho
would feel with all their simple sorro
find a pleasure in all their simp
remembering her own child-life, an
happy summer-days. days.

Desc.

CÓDICE FEJÉRVÁRY-MAYER

Codex Fejérváry-Mayer

Um dos poucos manuscritos sobreviventes à conquista espanhola no México

IDIOMA	*Asteca*
Autoria	DESCONHECIDO
Ilustrações	DESCONHECIDO
Publicação	DESC.

O *Codex Fejérváry-Mayer*, também conhecido como *Códice Mayer*, é um almanaque divinatório de origem asteca, composto por 22 folhas desenhadas em ambos os lados. Ele traz um calendário ritual, cerimônias, adivinhações e especulações sobre os deuses e o universo. É um dos raros manuscritos pré-hispânicos que sobreviveram à conquista espanhola do México, que destruiu a maioria dos manuscritos, mas sua origem é desconhecida. Traz no título os nomes de Gabriel Fejérváry (1780-1851) e Joseph Mayer (1803-1886), um colecionador húngaro e um antiquário inglês, respectivamente, porque ambos foram possuidores da obra em determinado momento de suas vidas.

Aprox. 1404

MANUSCRITO DE VOYNICH

The Voynich Manuscript

Um dos manuscritos mais misteriosos do mundo nunca foi decifrado

IDIOMA *Desconhecido*

Autoria

DESCONHECIDO

Ilustrações

DESCONHECIDO

Publicação **1404**

Famoso, estranho e curioso, o *Manuscrito de Voynich*, cuja data de publicação se aproxima de 1404, foi escrito em papel velino (um material de qualidade superior ao pergaminho, mas também feito de pele animal) e possui uma linguagem inteligível.

Muitos criptólogos já tentaram decifrar seu conteúdo, sem sucesso. O conteúdo parece ser de botânica, astronomia, biologia e farmacologia, mas existem alguns estudiosos que teorizam sobre o conteúdo ser um hoax, uma tentativa de enganar seus leitores com símbolos aleatórios. Uma segunda hipótese para tal dificuldade em decifrar o material é se tratar de uma língua filosófica, em que as palavras são compostas por um conjunto de letras significativas. As línguas filosóficas – ou artificiais – são idiomas criados para pequenos grupos de pessoas, como códigos secretos.

O manuscrito possui esse nome por ter sido adquirido por Wilfrid Michael Voynich em 1912. ✤

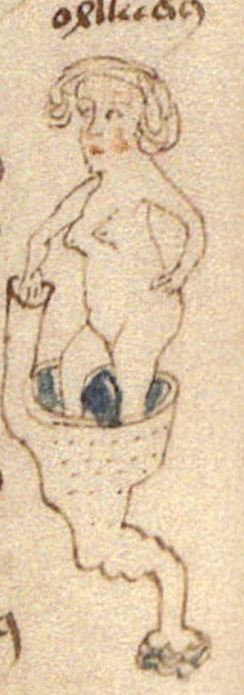

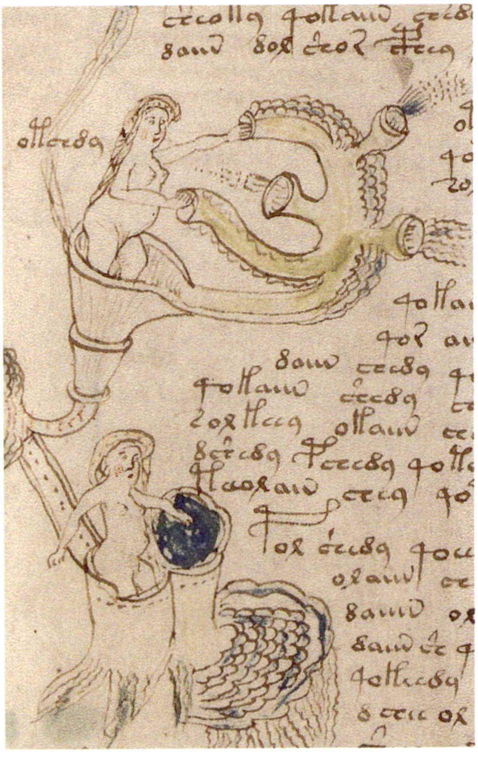

1642

A HISTÓRIA DOS MONSTROS

Monstrorum Historia

Monstros criativos dos mais diversos tipos descritos no livro do mestre Aldrovandi, com quase 1000 páginas e diversas ilustrações

IDIOMA *Latim*

Autoria

ULISSE ALDROVANDI

Ilustrações

JEAN-BAPTISTE CORIOLAN

Publicação 1642

O *Monstrorum Historia* foi publicado pela primeira vez em 1642, com um grande número de ilustrações em xilogravura por Jean-Baptiste Coriolan, retratando a deformidades e mutações de diversas criaturas. A autoria do trabalho e pesquisa fica a cargo de Ulisse Aldrovandi (1522-1605), formado em direito, filosofia e medicina nas cidades de Pádua e Bolonha. Durante quase um ano de confinamento em Roma, enquanto lutava contra uma acusação de heresia, Aldrovandi desenvolveu um forte interesse pelo mundo natural. Ele viajou bastante em sua busca por espécimes e registrou suas observações em cerca de 4000 manuscritos, alguns dos quais foram publicados durante sua vida. Seus escritos incluem estudos em ornitologia, medicina, hidrologia, zoologia e botânica.

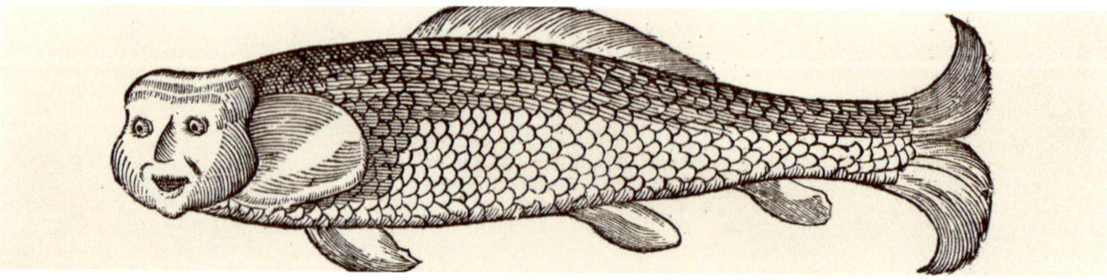

14 Vlyſsis Aldrouandi

Homo, ore & collo Gruis.

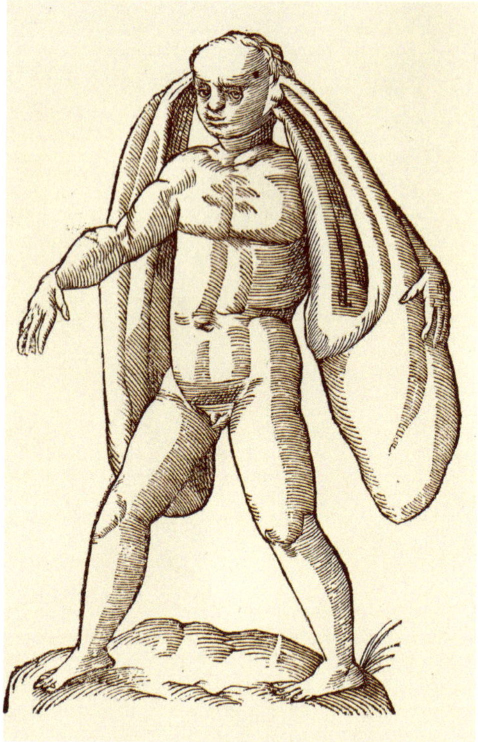

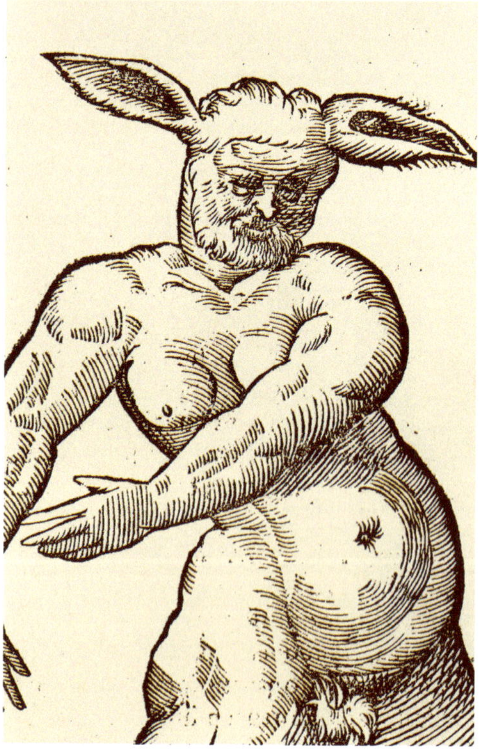

28 Monſtrum Marinum effigie Monach

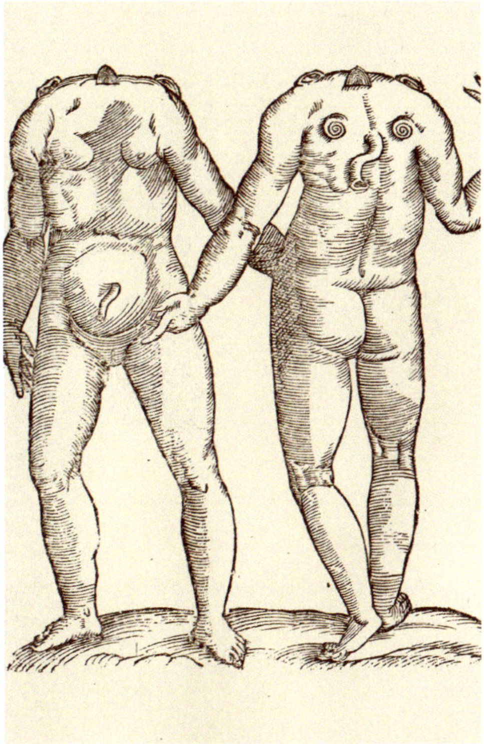
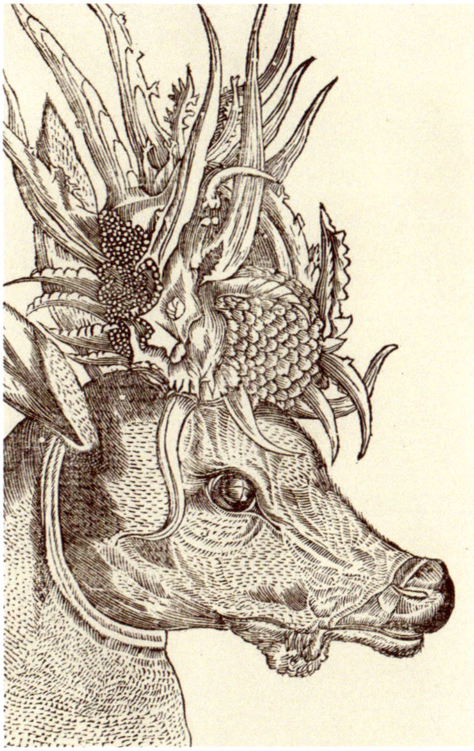

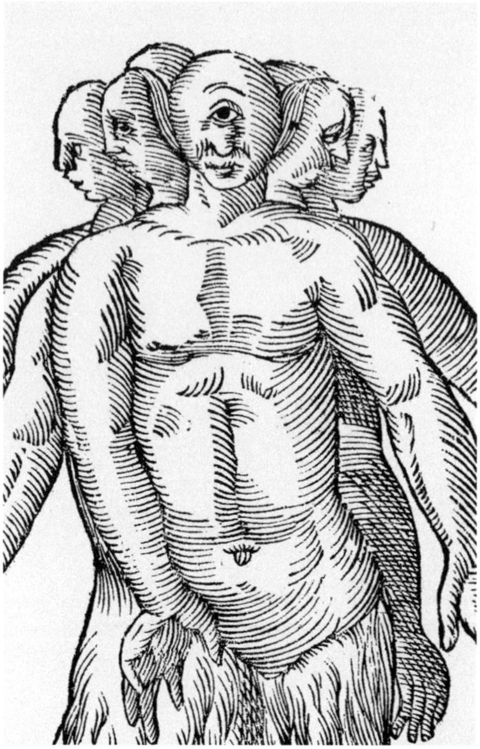

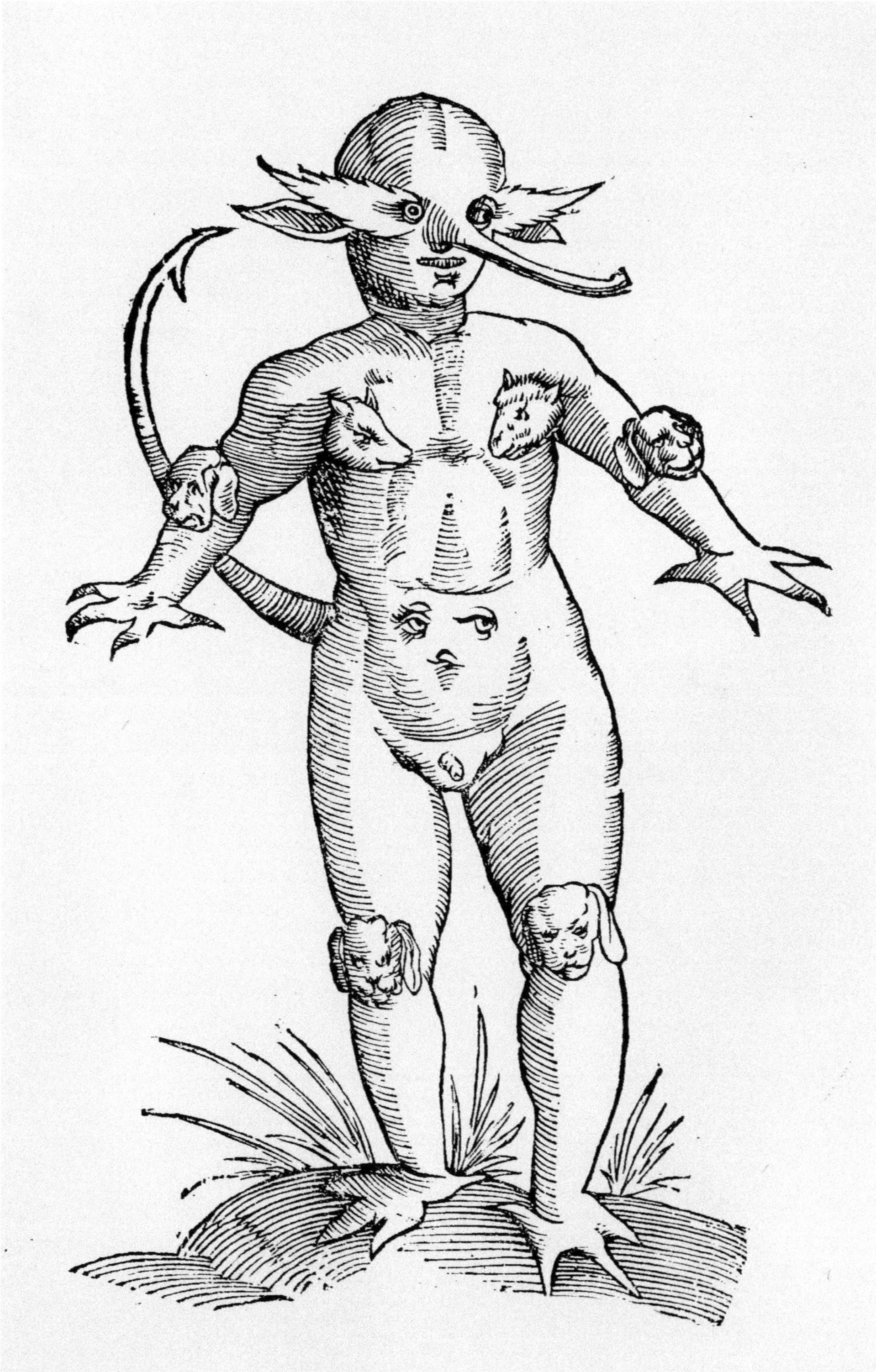

1607

ORNAMENTOS GROTESCOS DE KILIAN

Newes Gradesca Büchlein

Recheado de detalhes, o livro de ornamentos de Lucas Kilian é um mundo de descobertas

IDIOMA	*Alemão*
Autoria	LUCAS KILIAN
Ilustrações	LUCAS KILIAN
Publicação	1607

Publicado originalmente em 1607, o *Ornamentos Grotescos de Lucas Kilian* traz uma série de painéis ricamente ornamentados com arabescos, animais grotescamente representados e, por vezes, a imagem do feminino e masculino. O autor, Lucas Kilian, foi um pintor e desenhista alemão, que morou a maior parte de sua vida na cidade de Augsburg, onde morreu. Entre as principais notas sobre o trabalho de Kilian, está a inferência de que suas gravuras possam ter sido influentes com relação ao estilo de sombreamento gradeado de elementos auriculares e novas aparências de cauda grotescas de dissolução. No entanto, é igualmente possível inferir que o trabalho de Kilian seja simplesmente representativo de certo ponto na evolução do embelezamento grotesco, em vez de estar necessariamente na vanguarda.

10.

L.K.
2

1725

Tesauro Secreto de Alquimia

Thesaurus thesaurorum et secretum secretissimum

Uma obra colorida e mística, o *Tesauro Secreto de Alquimia* lida com criaturas fantásticas e química para legislar uma fraternidade

IDIOMA	*Latim*
Autoria	DESCONHECIDO
Ilustrações	DESCONHECIDO
Publicação	1725

Com seu longo título original em latim, *Thesaurus thesaurorum et secretum secretissimum in quo omnia Mundi arcana latent, quodque Deus per ineffabilem suam misericordiam homini vili et abjecto peccatorique maximo revelavit. Lapidis Philosophorum verus processus* é ilustrado com numerosos símbolos alquímicos em aquarelas. O manuscrito é uma obra de arte do século XVIII e possui ilustrações de, por exemplo, balões de fundo redondo, instrumentos comuns em química para aquecimento de líquidos e reações com desprendimentos gasosos. Um dos recipientes mais famosos desde a antiguidade, o balão é representado em quase todos os manuscritos alquímicos, já que a ebulição de substâncias era uma das etapas do processo.

As etapas eram perigosas, tanto com risco de explosão quanto de queimaduras e envenenamento por gases e toxicidade de metais, como mercúrio e chumbo. A busca constante pela vida eterna pode ter causado a morte prematura de muitos estudiosos químicos da época.

Porém, a obra é um espetáculo em cores e criatividade, e muitas descobertas químicas só foram possíveis por conta da alquimia.

Et apprehendit Draconem
Serpentem antiquam
Apoc. XX.

Transcensus Chaos confusi.

Cauda Pavonis.
beata Viriditas generans omnes res.
et rursum spero
Sigillum Hermetis.
Putrefactio sive Nigredo.
Oleum Philosoph:
Sulphur
incipit

Post Libertatem meam.

1665

OBITUÁRIO DA GRANDE PRAGA

London's Dreadful Visitation, or, A Collection of all the Bills of Mortality for this Present Year

Durante a Grande Peste de Londres, as mortes foram contabilizadas, semana a semana, em um livro

IDIOMA *Inglês*

Edição

E. COTES

Publicação 1665

A *Grande Praga* (ou Peste) *de Londres* foi a última epidemia de peste bubônica na Inglaterra, durando de 1665 a 1666. Acontecendo no contexto da segunda epidemia de peste, a Grande Peste vitimou entre 75.000 a 100.000 pessoas, ou seja, praticamente um quinto da população de Londres na época, em dezoito meses. A doença era causada pela bactéria *Yersinia pestis*, geralmente transmitida através de mordidas de pulgas infectadas. A epidemia de 1665-1666 foi em menor escala do que a anterior que ocorreu durante o período medieval, a Peste Negra, que atingiu a Europa entre 1347 e 1353, mas é chamada de "grande peste" porque foi uma das últimas a se espalhar pela Europa.

O livro contabiliza, por pesquisadores, as causas das mortes que ocorreram na cidade durante o período. Inicia-se com nenhuma (zero) morte por praga, como é possível ver nas imagens das páginas a seguir (à direita, em baixo, ao lado de *Plague*) e, de forma exponencial, em seu pico, durante setembro de 1665, calcula mais de sete mil mortes em uma única semana.

O material era vendido por um centavo de libra para que os cidadãos soubessem as áreas onde a doença estava se espalhando.

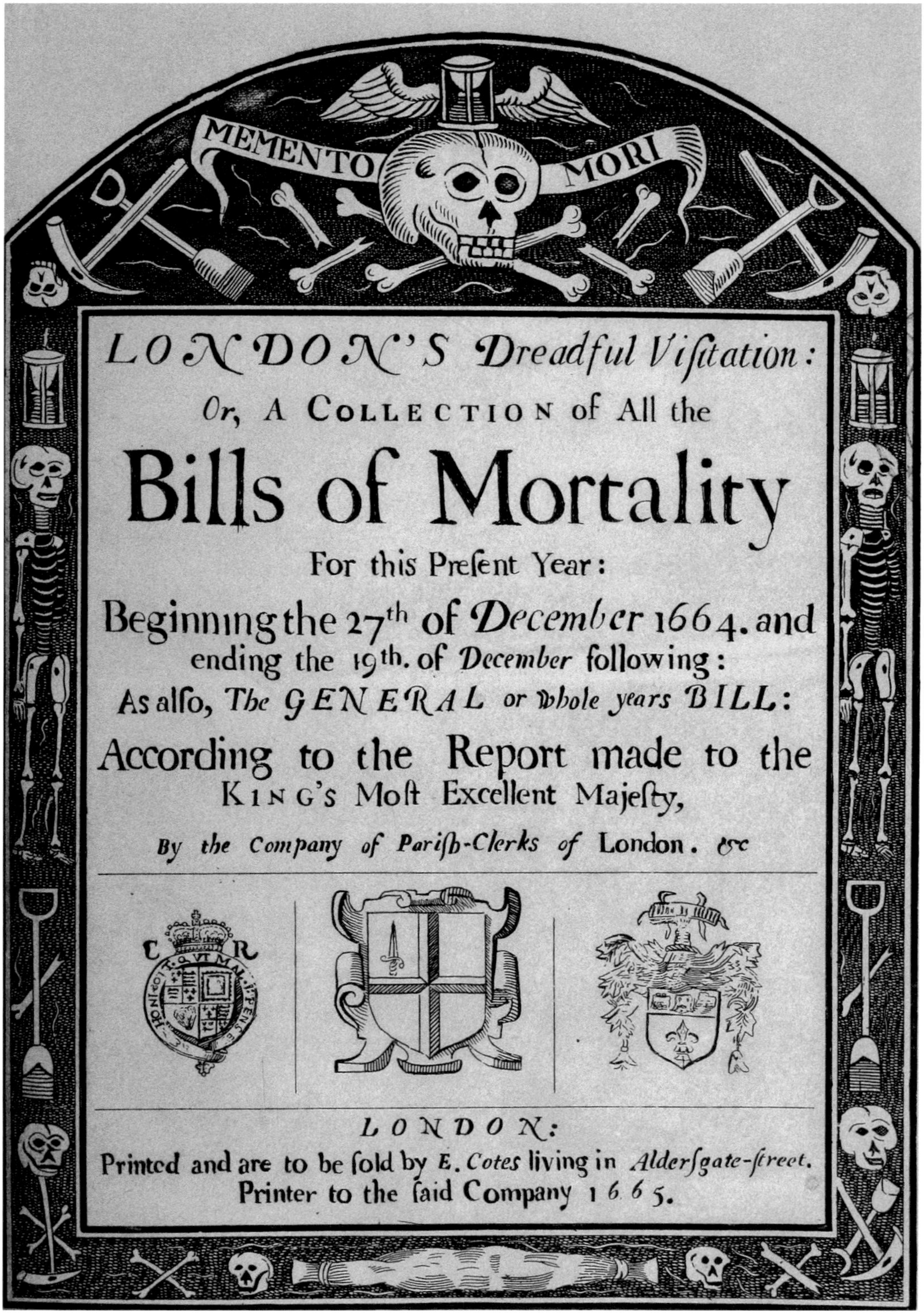
MEMENTO MORI

LONDON'S Dreadful Visitation:

Or, A COLLECTION of All the

Bills of Mortality

For this Present Year:

Beginning the 27th of December 1664. and ending the 19th. of December following:

As also, The GENERAL or Whole years BILL:

According to the Report made to the KING'S Most Excellent Majesty,

By the Company of Parish-Clerks of London. &c

C R

LONDON:

Printed and are to be sold by E. Cotes living in Aldersgate-street. Printer to the said Company 1665.

The Diseases and Casualties this Week.

Abortive	1
Aged	27
Ague	1
Bloody flux	1
Childbed	7
Chrisomes	7
Consumption	82
Convulsion	24
Cough	4
Dropsie	31
Drowned at St. Mary VVhite-chappel	1
Feaver	46
Flox and Small-pox	28
Flux	4
French-pox	2
Grief	1
Griping in the Guts	22
Impostume	1
Infants	13
Killed with a Cart at St. Giles Cripplegate	1
Kingsevil	1
Overlaid	1
Quinsie	1
Rickets	7
Rising of the Lights	5
Sciatica	1
Scowring	1
Scurvy	1
Spotted Feaver	4
Stilborn	13
Stopping of the stomach	4
Strangury	1
Suddenly	1
Surfeit	6
Teeth	27
Tissick	12
Ulcer	2
Winde	2

Christned	Males	124	Buried	Males	203	Plague — 0
	Females	111		Females	191	
	In all	235		In all	394	

Increased in the Burials this Week — 45

Parishes clear of the Plague — 130 Parishes Infected — 0

The Aßize of Bread set forth by Order of the Lord Maior and Court of Aldermen,
A penny Wheaten Loaf to contain Eleven Ounces, and three half-penny White Loaves the like weight.

The Diseases and Casualties this Week.

Abortive	5
Aged	43
Ague	2
Apoplexie	1
Bleeding	2
Burnt in his Bed by a Candle at St. Giles Cripplegate	1
Canker	1
Childbed	42
Chrisomes	18
Consumption	134
Convulsion	64
Cough	2
Dropsie	33
Feaver	309
Flox and Small-pox	5
Frighted	3
Gowt	1
Grief	3
Griping in the Guts	51
Jaundies	5
Imposthume	11
Infants	16
Killed by a fall from the Belfrey at Alhallows the Great	1
Kingsevil	2
Lethargy	1
Palsie	1
Plague	7165
Rickets	17
Rising of the Lights	11
Scowring	5
Scurvy	2
Spleen	1
Spotted Feaver	101
Stilborn	17
Stone	2
Stopping of the stomach	9
Strangury	1
Suddenly	1
Surfeit	49
Teeth	121
Thrush	5
Timpany	1
Tissick	11
Vomiting	3
Winde	3
Wormes	15

Christned { Males — 95, Females — 81, In all — 176 }
Buried { Males — 4095, Females — 4202, In all — 8297 } Plague — 7165

Increased in the Burials this Week — 607

Parishes clear of the Plague — 4 Parishes Infected — 126

The Assize of Bread set forth by Order of the Lord Maior and Court of Aldermen,
A penny Wheaten Loaf to contain Nine Ounces and a half, and three half-penny White Loaves the like weight.

1921

Colonização Portuguesa do Brasil

História da colonização portuguesa do Brasil

Com agradecimentos ao povo brasileiro, a colônia portuguesa lança três volumes de uma obra artística e histórica sobre o Brasil

Com estudos e direção da obra pelo romancista Carlos Malheiros Dias, em comemoração às festas de 100 anos de Independência, a colônia portuguesa no Brasil ofereceu em gratidão ao povo brasileiro três volumes coloridos sobre a colonização. As ilustrações foram executadas por Roque Gameiro. ✤

IDIOMA *Português*

Direção

CARLOS M. DIAS

Ilustrações

ROQUE GAMEIRO

Publicação 1921

A EXPEDIÇÃO DE CABRAL
(1500)

I—LISBOA NO ANO DE 1500

LISBOA, a senhora dos Mares, nesse ano de 1500, em que a armada de Cabral largava da Ribeira das Náus a caminho da Índia, mal começava a esburacar a sua velha mas resistente capa medieval. Possuia um aspecto exterior e íntimo, único na sua história. Por então ainda os melhores paços do rei e dos senhores condiziam na fábrica e na sévera descomodidade com a singela polícia daquele século, a findar. Tôdas as maravilhas duma arquitectura que atingira a expressão da mais sublime idealidade, quási exclusivamente se guardavam para os templos e os cenóbios, a atestar assim um sentido da vida sinceramente religioso. O vulto e a traça da cidade não obedeciam a qualquer plano de enobrecimento externo. O burgo tumultuário conservava o ímpeto e rudeza nativos da grei que o construíra. Volvidos poucos anos, seria a Lisboa manuelina, oriental e faustosa, cujos fidalgos, abandonando a antiga cêrca e dobrando a última colina, que escondia a cidade (a de St.ª Catarina), pejavam, a exemplo do rei, de pompas e palácios a Ribeira, em direcção ao Mar.

Áquela data, D. Manuel não completara ainda cinco anos de reinado. E as primeiras novas certas da Índia, vindas pelo Gama, e que iam decidir da política e actividade nacionais, só há cinco meses que traziam em pasmo e sobressalto as gentes.

Torna-se mister esquecer de tôda esta Lisboa de hoje, vasta e disseminada por monte e vale até ao mar, com sua fria Baixa pombalina e as avenidas claras e banais, para evocar com as gravuras de Braunio (1) e de Beninc (2) o antigo burgo, curto e amuralhado. Já não se apertava apenas, como nos moiriscos tempos em que escrevia Osberno, no alto dum monte arredondado, *in cacumine*

(1) *Urbium praecipuarum totius mundi theatrum*, vol. V.
(2) Desenho de Simão Beninc no *ms.* 12531, tab. VII, no *British Museum*, de Londres, *Port. drawings*. A Biblioteca Nacional possui a reprodução do manuscrito. Igualmente se póde ver o desenho de Beninc em *Rainhas de Portugal*, Benevides, e *A vida de Nun'Alvares*, O. Martins.

1

Aprox. 1390

MISSAL DO MESTRE DE BRUXELAS

Messale di Migliorati

Um missal com criaturas divertidas, folhas de ouro e diversas figuras zoomórficas

IDIOMA *Latim*

Autoria

DESCONHECIDO

Ilustrações

MESTRE DAS INICIAIS DE BRUXELAS

Publicação 1390

Encomendado pelo bispo Cosimo de' Migliorati, este missal luxuosamente decorado contém todos os textos e cantos usados para celebração da missa, mas sem notações musicais, com exceção das porções elaboradas para serem cantadas pelo padre celebrante, sugerindo que este livro foi projetado para ser usado pelo próprio cardeal no altar enquanto celebrava a Missa. As elegantes iluminações do missal consistem de páginas de calendário decoradas, numerosas iniciais historiadas, bordas ornamentadas e miniaturas.

O Mestre das Iniciais de Bruxelas, responsável pelo Missal, foi um iluminador anônimo do final de 1300. Ele morou em Bolonha por dez anos, onde sua carreira se desenvolveu em paralelo à alta produção de livros no final da Idade Média, antes de se mudar para a França. Seu trabalho é caracterizado pelo estilo exuberante de bordas decoradas com grandes folhas de acanto e divertidas figuras zoomórficas, além de tipos atarracados de figuras bolonhesas. A mistura de elementos italianos e franceses em suas pinturas sintetiza o caráter da pintura da corte européia do final da Idade Média, mais conhecida como estilo internacional.

Incipit proprium
scorum de missali.
In vigilia sci
Andree apli. Introitus:-

Dominus
secus ma
re galilee
vidit du
os fratres
petrum
et andreã.
et vocavit
eos. venite post me faciam vos fie
ri piscatores hominũ. Ps. At
illi relictis retibus et navi secuti
sũt dnm. V. Gloria. Oro.
Quesu
mus
oips
deus.
ut be
atus
andre
as aplus tuum pro nobis im
ploret auxilium: ut a nostris
reatibus absoluti. a cunctis etiã
periculis eruamur. P. Pro sco
Saturnino mre. oratio.
Deus qui nos bti satu
rnini mris tui concedis natali
cio perfrui: eius nos tribue
meritis adiuvari. P. Epla. re
quire in vigilia unius apostoli.
Benedictio dni sup capd
iusti. Gr. Nimis honorati sũt
amici tui ds. nimis cõfortatus est
principatus eorum. V. Dinu
merabo eos et sup arenã multiplica
buntur. Sequitur. sci. ev. sm iohem.
In illo tpe. Stabat iohes.
et ex discipulis ei duo.
Et respiciens ihm ambulantẽ
dic. Ecce agnus dei. Et audi
erunt eum duo discipli loquẽ
tem: et secuti sunt ihm. Cõ
versus aut ihs et videns eos

Incipit ordo missalis
secd'm ꝯsuetudinẽ ro
mane curie. Do
minica prima de aduentu.
Statio ad scam mariã ma
iorem. Introitus:- :-

D TE
leuaui a
nimã me
am deus
meus in
te ꝯfido
nõ eru
bescã. ne
q̃ irride
ant me inimici mei. etenim uniu'si
qui te expectãt nõ ꝯfundent͛. ps.

Vias tuas dñe demonstra
michi et semitas tuas edoce me.
Sequit͛ u͛sus. Glia pat͛. Quo
finito. repetitur: Introitus:-
Ad te leuaui animam meam.
Et iste modus ẽ repetẽdi ser
uat͛ p totũ annum. cum dicat͛
Glia pat͛. Post introitũ etiam
in festis duplicibus. Oratio.

E XCITA QUE

Aprox. 1325

SALTÉRIO DE LUTTRELL

Luttrell Psalmer

Um dos mais divertidos manuscritos medievais, contém droláticas figuras fantasiosas e a simples vida no campo dos aldeões

IDIOMA *Latim*

Autoria

DESCONHECIDO

Ilustrações

DESCONHECIDO

Publicação 1325

Este celebrado manuscrito foi comissionado por um rico dono de terras, Sir Geoffrey Luttrell, na primeira metade do século XIV. É um dos mais célebres a sobreviver à Idade Média. Pintado em ricas cores embelezadas com ouro e prata, com vitalidade e, por vezes, bizarra inventividade na decoração, este manuscrito é virtualmente diferente de qualquer outro. O *Saltério de Luttrell* é um dos mais famosos manuscritos medievais por causa de suas ricas ilustrações do dia-a-dia do século XIV. Não foi o primeiro a incorporar cenas contemporâneas da vida rústica, mas é excepcional pela quantidade fascinante de detalhes. Suas vívidas e, por vezes, bem-humoradas imagens proporcionam um "documentário" virtual do trabalho e do lazer durante um ano em uma propriedade tal qual a de Sir Geoffrey.

Ao virar as páginas, é possível ver milho sendo cortado, uma mulher alimentando galinhas e comida sendo preparada e consumida. Há lutadores, vendedores ambulantes, iscas para ursos, dançarinos, musicistas, jogos de arremessar, um bispo de mentira com um cachorro que pula através de um arco e uma mulher batendo em seu marido com uma vara de pescar.

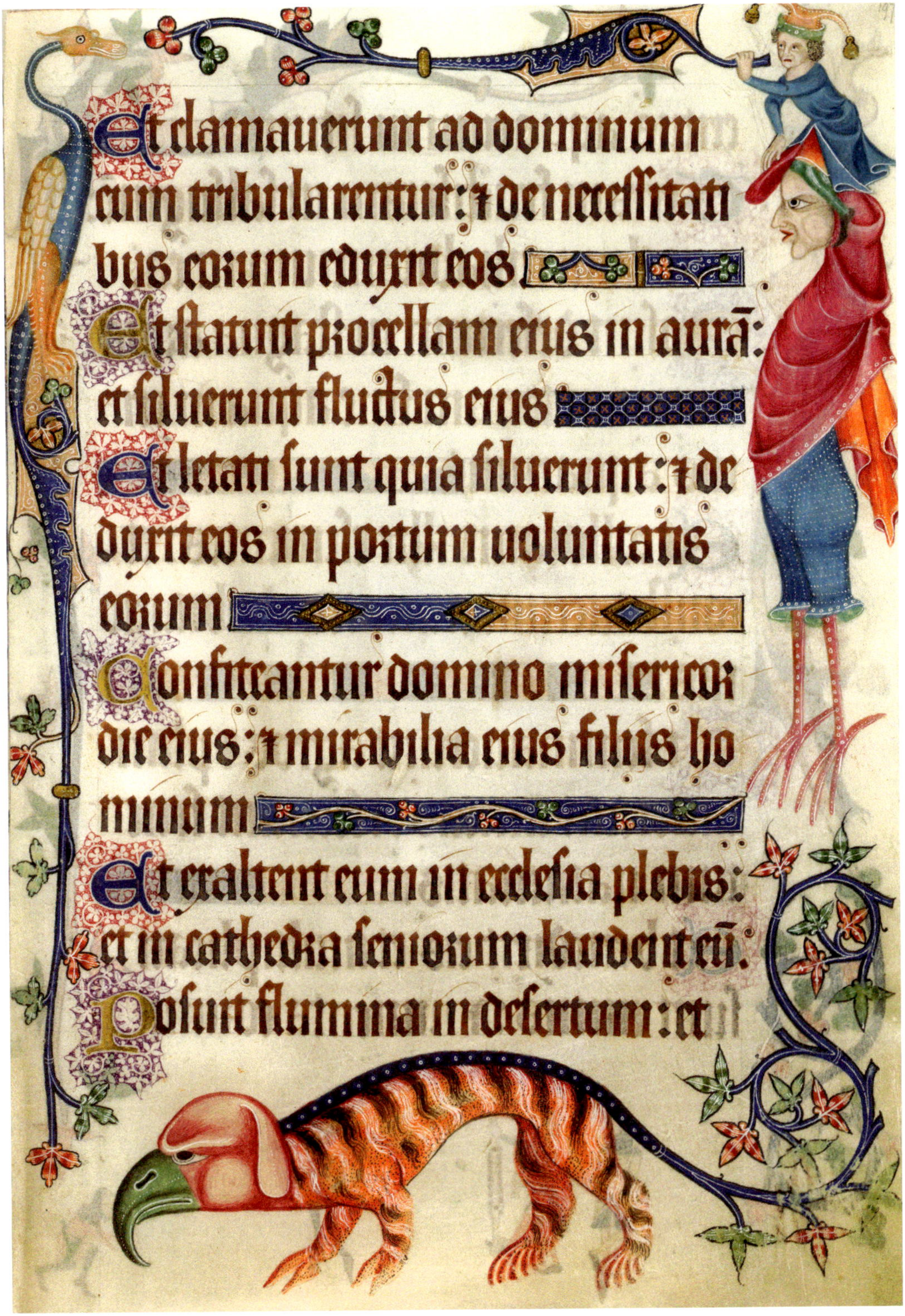
Et clamauerunt ad dominum
cum tribularentur: ⁊ de necessitati
bus eorum eduxit eos.
Et statuit procellam eius in aurā:
et siluerunt fluctus eius.
Et letati sunt quia siluerunt: ⁊ de
duxit eos in portum uoluntatis
eorum.
Confiteantur domino misericor
die eius: ⁊ mirabilia eius filiis ho
minum.
Et exaltent eum in ecclesia plebis:
et in cathedra seniorum laudent eū.
Posuit flumina in desertum: et

Tais imagens desempenharam um papel importante na promoção da visão romântica do século XIX de uma "Inglaterra feliz" povoada por generosos senhores e senhoras e camponeses felizes brincando tanto quanto trabalhavam. Cópias do manuscrito foram publicadas, e suas imagens amplamente reproduzidas em livros de história. Hoje, historiadores estão mais inclinados a ver as cenas do Saltério como imagens idealizadas da realidade – elas eram, no final das contas, feitas para agradar Sir Geoffrey, e não seus empregados.

A melhor decoração está na seção central do manuscrito, pintada pelo mais talentoso dos artistas. Suas pinturas apresentam aguçada observação e atenção aos detalhes. Seu claro talento para inventividade e humor leve é expressado no que é chamado de "grotesco": monstros híbridos que podem combinar uma cabeça humana, a parte do corpo de um animal, peixe ou pássaro e a cauda de uma planta.

Os animais atraíram o interesse de estudiosos e do público. Muitos deles são produto da imaginação do artista, e parecem não-relacionados aos textos que ilustram.

Et clamauerunt ad dominum
cum tribularentur: et de necessitati
bus eorum liberauit eos
Et eduxit eos de tenebris in um
bra mortis: et uincula eorum disru
pit
Confiteantur domino misericor
die eius: et mirabilia eius filiis ho
minum
Quia contriuit portas ereas: et
uectes ferreos confregit
Suscepit eos de uia iniquitatis
eorum: propter iniusticias enim
suas humiliati sunt.

Os Salmos são 150 canções antigas, reunidas para formar um dos livros do Antigo Testamento na Bíblia. Na Idade Média (e até hoje), eles formavam uma parte fundamental da fé cristã e judia, pois assim como pessoas religiosas e leigos, muita gente aprendeu a ler através dos Salmos. Os Salmos geralmente eram escritos separados do resto da Bíblia, precedidos por um calendário com os dias festivos da igreja e seguidos por vários tipos de orações. Um volume assim é conhecido como Saltério.

O manuscrito é nomeado pelos estudiosos modernos através de seu patrono original, cuja imagem aparece no livro. O leal apoio e serviço de seu ancestral ao Rei John foi recompensando com doações de várias propriedades, que foram adicionadas pelo casamento ao patrimônio de uma herdeira. O estilo da iluminação mostra que Sir Geoffrey comissionou o Saltério entre 1320 e 1340.

Muitos dos manuscritos medievais foram produzidos por mais de uma pessoa: um ou mais escribas escreviam o texto e um ou mais artistas adicionavam decorações e imagens. *O Saltério de Luttrell* é o trabalho de um escriba e pelo menos cinco artistas, cujos nomes são desconhecidos.

CRÉDITOS E FONTES
DIGITALIZAÇÕES E BIBLIOTECAS

Créditos: Enciclopédia Do Incrível ao Bizarro, Editora Wish, editorawish.com.br

A History of the Earth, and Animated Nature RawPixel CC-BY-SA-4.0
Alice's Adventures Under Ground British Library, Public Domain
al-Qānūn fī aṭ-Ṭibb Wellcome Library CC-BY-4.0
An atlas of anatomical plates of the human body Wellcome Library CC-BY-4.0
An illustration of the Egyptian, Grecian and Roman costumes RawPixel CC-BY-SA-4.0
Anatomiae, hoc est, corporis humani dissectionis pars prior The Medical Heritage Library e Francis A. Countway Library
Artificial fireworks Getty Research Institute
Arzneipflanzenbuch Bayerische StaatsBibliothek BSB Cod.icon. 26
Bakemono Zukushi Wikimedia Commons
Biblia latina Harry Ransom Center, The University of Texas at Austin
Birds of America RawPixel CC-BY-SA-4.0
Book of the dead MetMuseum, Rogers Fund, 1930
Bracelli's Bizzarie di Varie Figure Wellcome Library CC-BY-4.0
Codex Fejérváry-Mayer Wikimedia Commons, remake by Lacambalam
Codex Leicester Wikimedia Commons Public Domain
Compendium rarissimum totius Artis Magicae Wellcome Library CC-BY-4.0
De Aquatilibus Harvard University
De Arte Natandi Wellcome Library CC-BY-4.0
Dictionnaire infernal © Library of Congress
Dictionnaire universel d'histoire naturelle RawPixel CC-BY-SA-4.0
Histoire de l'art égyptien RawPixel CC-BY-SA-4.0
Histoire naturelle des plus rares curiositez de la mer des Indes RawPixel CC-BY-SA-4.0
História da colonização portuguesa do Brasil Biblioteca do Senado
Il Fior di Battaglia The J. Paul Getty Museum, Los Angeles, Ms. Ludwig XV 13
Kittens and cats; a book of tales New York Public Library
Kunstformen der Natur Biodiversity Heritage Library
La danse des morts à Bâle Getty Research Institute
La Sphere du Monde Harvard Library
Les fleurs animées University of Ottawa, University of Toronto, The Medical Heritage Library, Wellcome Library
London's Dreadful Visitation © National Library of Medicine

Luttrell Psalmer © The British Library Board e texto Creative Commons da British Library

Manly Palmer Hall collection of alchemical manuscripts Getty Research Institute

Mira calligraphiae monumenta The J. Paul Getty Museum, Los Angeles, Ms. 20

Messale di Migliorati The J. Paul Getty Museum, Los Angeles, Ms. 34

Monstrorum Historia The Medical Heritage Library e Francis A. Countway Library

Mrs. Beeton book of household management Wellcome Library CC-BY-4.0

Newes Gradesca Büchlein RijksMuseum

On the Writing of the Insane The Medical Heritage Library

Ophthalmodouleia Das ist Augendienst Wellcome Library CC-BY-4.0

Opus Amplissimum de Arte Athletica Bayerische Staatsbibliothek

Ornithologie Brésilienne Smithsonian Libraries e Biodiversity Heritage Library

Prodigiorum ac ostentorum chronicon Wellcome Library CC-BY-4.0

Pseudo-Galen, Anatomia Wellcome Library CC-BY-4.0

Ripley Scrowle Wellcome Library CC-BY-4.0, Michael Jones e The Huntinton Library

Rothschild Pentateuch The J. Paul Getty Museum, Los Angeles, Acquired with the generous support of Jo Carole and Ronald S. Lauder, Ms. 116

Serat Selarasa © The British Library Board

Specimens of Chromatic Wood Type and Borders Columbia University Libraries

Spectropia The Medical Heritage Library e Cushing-Whitney Medical Library

The American anti-slavery almanac Boston Public Library Anti-Slavery Collection

The Book of Life: The Spiritual and Physical Constitution of Man California Digital Library

The Book of Urizen University of Yale e Google Art Project

The Grammar of Ornament RawPixel CC-BY-SA-4.0

The history of four-footed beasts and serpents Wellcome Library CC-BY-4.0

The Hours of Catherine of Cleves The Morgan Library & Museum MS M.917/945, {{PD-Art}}

The Voynich Manuscript Beinecke Rare Book & Manuscript Library

Thesaurus thesaurorum et secretum secretissimum Wellcome Library CC-BY-4.0

This Little Book (...) Why Women Should Not Vote Cornell University Library (PD-US)

Un Autre Monde Getty Research Institute

Vaught's Practical Character Reader © Library of Congress

PESQUISA
E TEXTOS

PublicDomainReview https://publicdomainreview.org CC BY-SA 3.0

British Library https://www.bl.uk CC BY 4.0

BibliOdyssey http://bibliodyssey.blogspot.com CC BY-SA 2.5

Wikipedia https://www.wikipedia.org CC BY-SA 3.0

Archive.org https://www.archive.org CC BY-SA 3.0

Getty Museum http://www.getty.edu CC BY 4.0

Do INCRÍVEL ao BIZARRO

AGRADECIMENTOS

AOS APOIADORES DESTA PUBLICAÇÃO

O que seria da arte sem seus patronos? Não passaria de uma expressão silenciosa, um eco que reverbera buscando eternamente os ouvidos interessados. Somos, em tantos momentos, artistas e observadores. Entretemos e nos deixamos entreter. Trocamos experiências, aprendemos e ensinamos. *Todos nós*. Hoje podemos mais uma vez ser entretidos pelos artistas do passado, que encantam os atentos observadores do presente com seus magníficos trabalhos.

Essa parceria tornou realizável a publicação da *Enciclopédia Do Incrível ao Bizarro* através de um financiamento coletivo pelo Catarse, e hoje sabemos que todo o trabalho de pesquisa, aperfeiçoamento das imagens, curadoria caprichosa e preparação valeu a pena. Agradecemos de coração a todos vocês. Muito, muito obrigada! Esta obra é um Ode à História e vocês a tornaram possível ♥

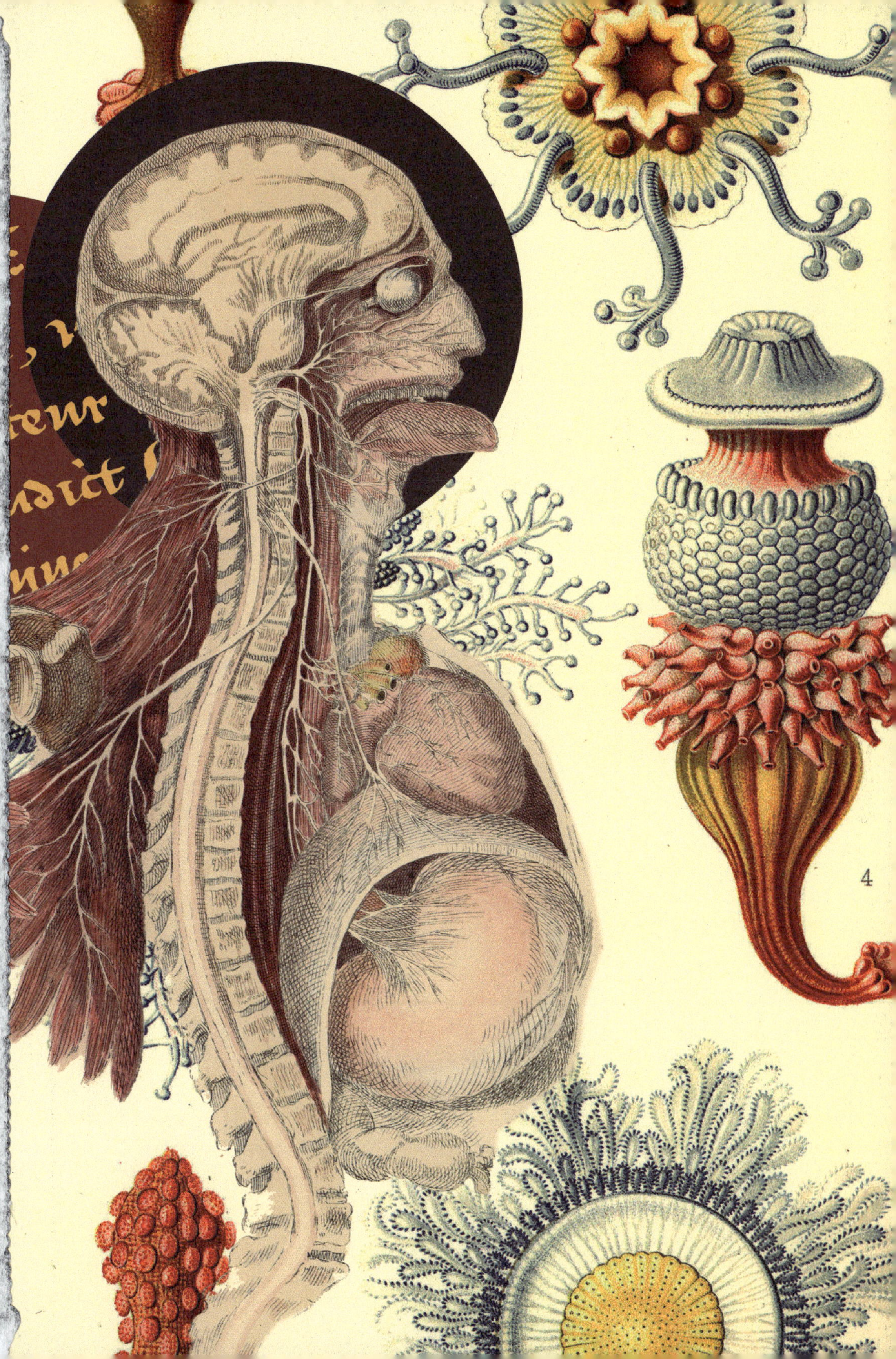
4

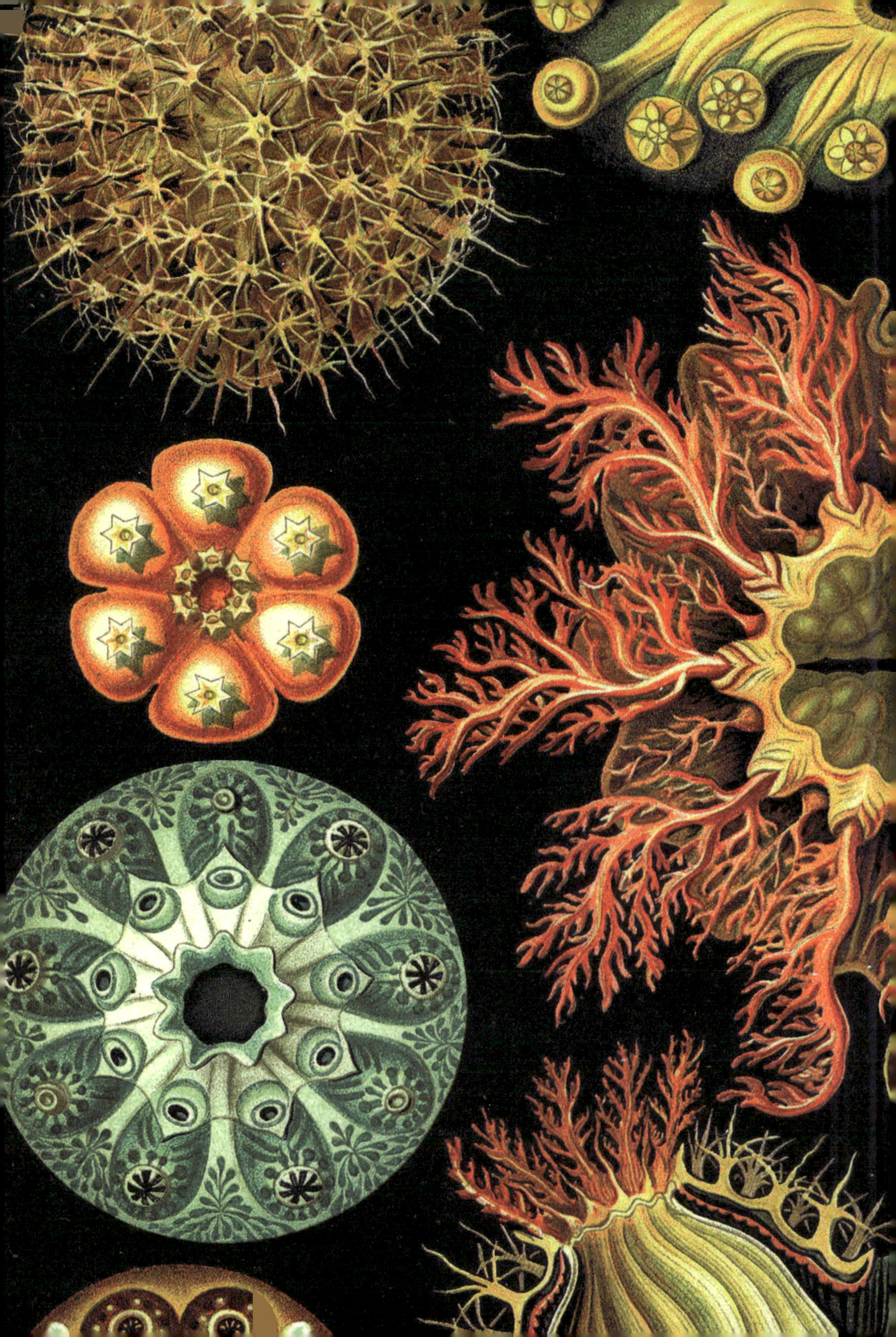